D1000755

L'hiver des lions

Titre original : Im Winter der Löwen
© Eichborn AG, Frankfurt am Main, 2009

© ACTES SUD, 2010 pour la traduction française
ISBN 978-2-7427-9292-4

39.50$ RB
10/12

JAN COSTIN WAGNER

L'hiver des lions

Roman traduit de l'allemand
par Marie-Claude Auger

Éditions **Jacqueline Chambon**

24-26 décembre

1

Kimmo Joentaa avait prévu de passer le soir de Noël seul mais il en advint autrement.

Comme les années précédentes, il s'était inscrit longtemps à l'avance pour être de garde le 24 décembre, et c'est ainsi qu'il se retrouva toute la journée dans un commissariat silencieux, quasi désert.

Sundström était aux sports d'hiver, Grönholm aux Caraïbes, comme il en rêvait depuis longtemps, et Tuomas Heinonen était parti dans l'après-midi décorer le sapin et revêtir pour la famille son costume de Père Noël. Il serait joignable en cas d'urgence mais, pour le moment, tout était calme.

Joentaa avait entrepris d'expédier des paperasses qui auraient aussi bien pu attendre. La radio passait une musique de Noël. Des violons, du piano et les voix claires d'un chœur d'enfants. Puis un philosophe et théologien expliqua d'un ton neutre que Jésus était né en été. Joentaa interrompit brièvement son travail pour se concentrer sur la voix à la radio mais déjà la musique était revenue, une sorte de rap de Noël. Il fronça les sourcils et se pencha de nouveau sur la feuille qu'il avait sous les yeux.

En début de soirée, il traversa la grande salle pour se rendre à la cafétéria qui était plongée dans l'obscurité. La seule lumière provenait de l'arbre décoré en rouge et or qui se trouvait près du distributeur de boissons.

Derrière les vitres, la neige tombait. Joentaa s'assit à l'une des tables. Il y avait des gâteaux dans une coupe. Des gâteaux secs en forme d'étoile. Joentaa en prit un, sentit le goût du sirop d'érable sur sa langue, respira l'odeur des aiguilles de pin et aperçut dans l'entrée, à côté de l'accueil, une femme qui lui parut bizarre. Elle était debout, immobile. Joentaa attendit un instant mais la femme ne bougea pas, elle n'avait pas l'air de s'étonner qu'il n'y ait personne à l'accueil. Pas plus qu'elle ne semblait se formaliser de voir par moments des policiers en uniforme passer à côté d'elle sans même qu'ils aient l'idée de lui demander ce qu'elle voulait.

La femme regardait la neige qui tombait derrière la vitre.

Elle était petite et mince, on lui donnait dans les vingt-cinq ans. Elle avait de longs cheveux blonds et mâchait un chewing-gum.

Elle ne bougea toujours pas quand Joentaa se dirigea vers elle, ni quand il s'arrêta devant elle, cherchant son regard.

– Pardon ? dit-il.

La jeune femme détourna les yeux de la fenêtre. Elle avait les joues rouges et enflées.

– Je peux… Ça va ? demanda Joentaa.

– Viol, dit la femme.

– Ce…

– J'ai été violée et je veux porter plainte, espèce de crétin.

– Désolé. Puis-je… Mais allons d'abord dans mon bureau…

– Ari Pekka Sorajärvi, dit la femme.

– Allons…

– C'est le nom de l'homme contre qui je veux porter plainte.

– Suivez-moi, insista Joentaa en faisant mine de passer devant, mais la femme ne bougea pas.

– Je voudrais bien rentrer chez moi, dit-elle d'une voix soudain radoucie. Vous ne pouvez pas noter tout ça ici ?

– Non… je regrette, ce n'est pas possible… de toute manière, ce sont des collègues qui doivent s'en charger… Je pourrais prendre votre déposition et la faire suivre mais je dois de toute façon vous enregistrer dans l'ordinateur.

Elle parut hésiter un instant puis finit par le suivre jusqu'à l'ascenseur.

Le troisième étage était éclairé par un faible néon. Un rire grinçant retentit dans un bureau.

– C'est sinistre ici, fit-elle.

– Certaines lampes sont éteintes, d'habitude, c'est plus éclairé, expliqua Joentaa.

– Ah bon, fit la femme, en semblant esquisser un sourire, mais Joentaa n'était pas certain.

– Vous avez été à l'hôpital ? demanda Joentaa.

– À l'hôpital ?

– Oui...

– Ça ne vaut pas le coup.

– Je... peux vous y conduire après, dit Joentaa. Il est... Il se peut qu'on puisse faire état de... de traces qui seront utiles pour une procédure ultérieure...

– Tapez-moi ce foutu rapport dans l'ordinateur, que je rentre chez moi.

– Excusez-moi.

– Vous n'êtes pas obligé de vous excuser toutes les cinq minutes.

Joentaa acquiesça d'un signe de tête et la conduisit dans son bureau. L'écran de l'ordinateur scintillait. L'église rouge de Lenganiemi, l'église derrière laquelle était enterrée Sanna.

Derrière les vitres, le monde était sombre et blanc.

La femme le regardait d'un air impatient.

– Pardon, répéta Joentaa, asseyez-vous.

– Vous ne pourriez pas arrêter de vous excuser toutes les cinq minutes ?

Joentaa s'efforça de se concentrer sur l'écran et le clavier. Il chercha un moment et finit par trouver le formulaire adéquat. Nom, adresse, date de naissance.

– Quel est votre nom ? commença-t-il.

– Pardon ?

– Votre nom... J'en ai besoin pour...

– Qu'est-ce que mon nom vient faire dans cette histoire ? J'ai été violée par Ari Pekka Sorajärvi et je voudrais porter plainte.

– Mais...

La femme se mit soudain à crier, un cri strident et prolongé. Joentaa la regarda. Elle était assise, immobile, l'air apparemment détendue et, hormis sa bouche légèrement entrouverte, rien ne laissait penser que c'était elle qui avait poussé ce cri. Un cri sourd et strident qui résonnait, et un collègue fit irruption dans la pièce.

– Ça va ? demanda-t-il.

– Oui, pas de problème, dit Kimmo Joentaa.

– Dans ce cas, fit le collègue.

Il hésita une seconde puis lui souhaita bonne chance et referma la porte.

Joentaa regarda la femme assise en face de lui et sourit. Son cri résonnait encore dans ses oreilles.

– Henrikinkatu 28, dit la femme d'un ton neutre.

– C'est…

– C'est l'adresse d'Ari Pekka Sorajärvi.

– C'est…

– Ari Pekka Sorajärvi.

– Oui… c'est… ou c'était… votre ami ?

– Mon quoi ?

– Vous avez une… liaison, ou vous êtes mariée avec Ari Pekka Sorajärvi ?

La femme ouvrit de grands yeux.

– Non, ça non, dit-elle enfin.

– D'où…

– Ari Pekka Sorajärvi est un client.

Joentaa se tut.

– Client. Du sexe pour de l'argent. Vous en avez entendu parler ?

– Alors c'est…

– Mon meilleur client, si vous voulez tout savoir. Il a toujours eu un peu plus d'exigences que les autres, mais il payait bien.

– Je comprends.

– Une chance que vous compreniez.

– Mais… comment se fait-il que vous connaissiez son nom… D'habitude, dans ce milieu… on reste anonyme, non ?

La femme se mit à rire. A rire de lui. A rire si fort que le collègue inquiet n'allait sûrement pas tarder à faire de nouveau irruption dans la pièce.

– Vous êtes coincé, dit-elle en changeant de ton et de vocabulaire. Il faut que vous appreniez à connaître votre sexualité et à la vivre. Le mieux serait de commencer par un film. Un film porno. Vous pouvez me croire, ça aide. A moins que ce ne soit le contraire : auquel cas vous devez vous efforcer de réduire radicalement votre consommation de films pornos.

Elle s'interrompit, le fixa en plissant légèrement les yeux, elle semblait réfléchir.

– C'est l'un ou l'autre, dit-elle enfin.

Quelques secondes passèrent.

– Vous avez peut-être raison, dit Kimmo Joentaa.

Cette fois, la femme sourit, soudain aimable pour la première fois. Joentaa lui rendit son sourire.

Ils se sourirent, l'un à l'autre ou chacun pour soi.

Joentaa n'aurait su le dire.

– Et si vous voulez savoir comment je connais le nom et l'adresse d'Ari Pekka Sorajärvi, ajouta-t-elle en lançant un objet sur la table blanche qui les séparait, je lui ai subtilisé son permis de conduire pendant qu'il était occupé à soigner son nez cassé.

2

Ce n'est plus qu'une image. Une image qui ne peut être recouverte. Recouvrir l'image d'un drap blanc. Un drap d'un blanc impénétrable.

Elle sait qu'elle n'y arrivera plus. Autrefois, le blanc qui recouvre tout, elle y croyait et cela avait un sens pour elle, plus maintenant.

Elle étend un drap blanc sur ses pensées et voit que, selon un silencieux processus de dissolution, il se désintègre, laissant apparaître un autre drap, un drap bleu.

Quelqu'un soulève le drap bleu. Sous le drap bleu, il y a un homme. L'homme a une jambe. La jambe est un moignon. Il en manque la moitié. L'autre jambe n'est plus là du tout.

Le corps de l'homme sur la civière est tordu, anormalement, sa peau a foncé. Près de l'homme, le drap bleu, au-dessus de lui, un visage qui rit. Et un autre. Et encore un autre.

Un bras attrape la tête de l'homme et la fait tourner. Maintenant, elle peut voir le visage. L'expression dans les yeux fermés.

En dehors de son champ de vision, des gens rient. Ils sont là, près d'elle, au-dessus d'elle, au-dessous d'elle, mais elle ne peut pas les voir. Elle entend seulement leur rire. Elle s'efforce de rire avec eux.

Elle se sent rire, elle regarde le visage de l'homme avec sa moitié de jambe, elle est soulagée qu'il n'ait pas l'air de l'entendre. Au moment où son rire s'évanouit, quelque chose s'achève aussi, elle ne sait pas ce que c'est, elle sent seulement la fin.

Les gens autour d'elle rient toujours, on dirait qu'ils ne vont jamais arrêter.

Elle ferme les yeux, les rouvre.

L'écran scintille.

Elle revient en arrière, jusqu'à l'endroit où ça finit et, dans sa tête, elle revient au jour où ça a commencé.

3

Ari Pekka Sorajärvi échappa à la plainte. Quand Kimmo Joentaa essaya de lui expliquer une deuxième fois la marche à suivre, la femme se leva sans précipitation, l'air absent, et prit congé. Elle sortit lentement mais résolument, et referma la porte presque sans bruit.

Joentaa resta un moment assis, fixant le formulaire vierge qui scintillait sur l'écran. Nom, adresse, date de naissance.

Puis il se leva, sortit dans le couloir mal éclairé, descendit et se dirigea vers sa voiture au milieu de tourbillons de neige.

Il se mit en route pour Lenganiemi. Durant la traversée, il resta appuyé au bastingage dans le vent glacial. Il fut vaguement soulagé que le pilote, renfrogné comme à l'accoutumée, reste dans sa cabine en dépit de la guirlande de lumières collée à la fenêtre.

Il prit le chemin de la forêt qui lui sembla interminable jusqu'à ce que soudain, surgissant du néant, l'église se dresse dans le ciel. Quand il entra dans le cimetière, il entendit la rumeur de la mer et vit des ombres se mouvoir. Elles parlaient entre elles à voix feutrée. La tête baissée, concentrées sur les tombes de leurs proches qui reposaient dans l'obscurité, mais toutes savaient où chercher. Quand leurs chemins se croisèrent deux des ombres murmurèrent un bonsoir et Joentaa leur rendit leur salut.

Il resta un moment devant la tombe de Sanna sans penser à rien de particulier. Puis il sortit le photophore de son sac à dos, alluma la bougie et le posa délicatement au milieu de la tombe. Il regarda la flamme jusqu'à ce qu'elle commence à se brouiller devant ses yeux, alors il fit demi-tour et sortit du cimetière. De l'église parvenaient des chants et les accords longs et monotones de l'orgue.

Pendant la traversée du retour, le pilote avait toujours le même air et Kimmo Joentaa rentra chez lui.

4

Le soir, elle écrit des cartes de Noël. Elle a imprimé une photo qui lui plaît sur laquelle on voit Ilmari et Veikko devant le décor hivernal de Stockholm. L'année passée, ils y avaient fêté Noël avec la sœur d'Ilmari. Elle a imprimé la photo douze fois. Au dos, elle a écrit douze fois : *Joyeux Noël, avec mon meilleur souvenir.*

Puis elle ouvre la porte et sort dans l'escalier. Elle va de porte en porte et jette une carte dans chacune des fentes de la boîte à lettres.

Elle retourne dans son appartement, allume les bougies dans l'arbre et regarde l'image fixe sur l'écran du téléviseur. Un homme qui rit. Ce n'est pas un rire antipathique ni inquiétant, c'est un rire heureux. Un rire heureux et sympathique. Elle ne comprend pas ce rire. Depuis qu'elle l'a vu, elle voit défiler une suite d'images qui s'enchaînent comme une série, mais sont dépourvues de sens et pendant que les images défilent, la vie est suspendue.

Elle entend un bruit et tourne la tête. Elle aperçoit une enveloppe blanche sous la porte. Un voisin répond à sa carte de Noël. Elle se dirige vers la porte, ramasse l'enveloppe et l'ouvre. La carte représente un ange. Marlies et Tuomo, le jeune couple du premier. Ils ont écrit : *Pour toi aussi belles fêtes de Noël, et bien des choses. Très affectueusement.* Dans le couloir, elle sourit et réfléchit au sens des mots, à la manière dont ils changent et produisent pourtant le même effet. Deux noms manquent au début, et il y a deux mots en plus à la fin de la phrase. *Très affectueusement.* Son regard s'attarde sur les mots.

Plus tard, elle retourne dans le salon. Elle écrase l'ange dans sa main et contemple le visage sur l'écran et le rire qu'elle doit faire disparaître pour pouvoir ressentir quelque chose.

5

Quand Kimmo descendit de voiture, Pasi et Liisa Laaksonen, ses voisins, le saluèrent et lui souhaitèrent un bon Noël. Ils tenaient chacun une main de Marja, leur petite-fille qui riait aux éclats parce que Pasi et Liisa la faisaient tournoyer en l'air.

Kimmo Joentaa leur souhaita à son tour un bon Noël et s'empressa de rentrer chez lui. Il resta un moment dans le couloir silencieux, jusqu'à ce que la neige fonde et lui coule dans le cou. Puis il enleva la veste, le bonnet et l'écharpe et passa d'une pièce à l'autre pour allumer toutes les lumières de la maison.

Plus tard, debout dans le salon, il contempla le lac gelé derrière la vitre et pensa à Kari Niemi, le patron de l'identité judiciaire, qui lui avait proposé de passer Noël avec lui et sa famille. Cette invitation lui a fait très plaisir, mais il l'a déclinée. Peut-être l'année prochaine. Il avait dit la même chose à sa mère, Anita, qui lui avait demandé s'il ne voulait pas passer les fêtes avec elle à Kitee. Il avait aussi décliné l'invitation rituelle de Merja et Jussi Sihvonen, les parents de Sanna, prétextant qu'au moment de Noël il était malheureusement submergé de travail et n'avait pas une minute à lui.

Il irait voir Merja et Jussi demain. Ils garderaient le silence, puis à un moment ou à un autre, se mettraient à parler de Sanna. Chacun à sa manière. Echange de souvenirs. Des souvenirs qui planeraient un moment au-dessus de leurs têtes. En apesanteur. Difficiles à saisir. Les semaines qui avaient suivi le diagnostic de cancer et les derniers jours à l'hôpital ne seraient pas évoqués. Le tintement des tasses et Merja qui offre ses petits gâteaux maison. Dans une maison vide.

Demain. Et demain, il appellera aussi sa mère.

Il alla dans la cuisine, se sentit un peu bête en prenant dans le réfrigérateur la bouteille de vodka pas encore entamée, mais ce n'était pas désagréable. Il s'assit à la table de la cuisine et pensa à

Sanna qui buvait rarement, mais quand elle buvait, c'était radical. Un trait de caractère qui lui plaisait et qu'il avait repris à son compte après sa mort. Rarement, mais radicalement.

Aujourd'hui, c'était un jour comme ça. Peut-être. Il n'était pas certain. Il pouvait aussi bien boire un verre de lait et aller se coucher.

Il réfléchissait encore aux diverses possibilités qui s'offraient à lui quand il entendit sonner.

Pasi, se dit-il. Pasi Laaksonen, qui lui demanderait s'il n'avait pas envie de fêter Noël avec eux, leurs enfants et leurs petits-enfants dans la maison voisine.

Ou Anita. Sa mère avait sauté dans le train pour venir le voir bien qu'il l'ait instamment priée de ne pas le faire.

Il ouvrit la porte et découvrit le visage de la femme qui avait cassé le nez d'Ari Pekka Sorajärvi, la femme dont il ignorait le nom. Elle ressemblait à un bonhomme de neige, avec son manteau blanc et son bonnet blanc recouverts de neige.

Elle ne disait rien. Un sourire silencieux semblait flotter sur ses lèvres mais il pouvait se tromper.

– Ah... bonsoir, dit-il.

– Bonsoir, répondit-elle en passant devant lui pour entrer dans le couloir.

– Je... Comment...

– Kimmo Joentaa. C'est marqué sur la plaque à côté de la porte de votre bureau. Et sur une lettre qui traîne sur votre bureau. Vous êtes le seul Kimmo Joentaa à Turku. Un nom rare. Dans l'annuaire, il y a Sanna et Kimmo Joentaa. Votre femme est là ?

– N... non.

Elle hocha la tête, comme si elle s'y attendait et se dirigea vers le salon.

– Qu'est-ce que... qu'est-ce que vous voulez ? demanda Joentaa.

Elle se retourna et le regarda un moment.

– Je ne sais pas, répondit-elle. Probablement rien. Vous avez quelque chose à boire ?

– Euh, bien sûr… Du lait… du lait ou de la vodka ?

La femme n'eut pas l'air impressionnée par cette alternative.

– Les deux, dit-elle en se dirigeant résolument vers le salon.

– Hum… marmonna Joentaa.

Il alla dans la cuisine et remplit un verre de lait et un autre de vodka.

La femme était assise sur le canapé du salon et contemplait le lac derrière la baie vitrée.

– Jolie vue, fit-elle.

Joentaa posa les verres.

– Puis-je… vous être utile ? C'est encore à propos de la plainte que vous…

La femme se mit à rire. A rire de lui, une fois de plus. La dernière personne qui avait ri de lui ainsi, régulièrement et de bon cœur, c'était Sanna.

– Non, répondit la femme. Non, il ne s'agit pas de la plainte. Je ne sais même plus comment cet homme s'appelle.

– Ari Pekka Sorajärvi, déclara Joentaa machinalement, et la femme se remit à rire.

Encore plus fort. Le rire se mua en cri. Elle ne pouvait plus s'arrêter.

– Excusez-moi… dit Joentaa, et la femme rit de plus belle, comme s'il faisait le numéro le plus drôle qu'elle ait jamais vu. Son corps mince en était tout secoué.

Kimmo Joentaa alla dans la cuisine, avala quatre verres de schnaps à la file et se sentit un peu mieux en retournant dans le salon où la femme riait toujours, assise sur le canapé de son salon. Il s'assit dans le vieux fauteuil qui se trouvait près du canapé.

– Je voudrais vous demander quelque chose, quelque chose d'important, dit-il en ayant déjà l'impression, contre toute logique, d'avoir du mal à articuler. Ce… Sorajärvi… Il vous a fait… mal ?

La femme eut encore un petit rire, mais bref cette fois :

– Au XIXe siècle, les retraités devaient parler comme vous.

– Excusez-moi…

– Mais putain, arrêtez de vous excuser !

– Ce que je veux dire… je trouve que vous devriez porter plainte contre cet homme, comme vous en aviez l'intention. Et je voudrais pouvoir mieux vous comprendre, car je ne vous comprends pas encore.

– Ari Pekka Sorajärvi m'a traitée un peu plus durement que convenu, dit-elle. En échange, je lui ai cassé le nez. C'est clair ?

Joentaa réfléchit un instant.

– Bon, dit-il et la femme se remit à rire.

– Bon, exactement.

– Excusez-moi, mais je voulais dire par là que je commence peut-être à comprendre un peu mieux la situation.

– Si vous vous excusez encore une fois sans raison, je vais vous casser le nez avant la fin de la soirée.

– Je ne peux vous aider que si je comprends ce qui s'est passé, expliqua Joentaa.

La femme le regarda longuement.

– Qui vous demande de m'aider ?

– Je pensais…

– Vous êtes cinglé et vous ne vous en rendez même pas compte.

– Je pense que je…

– Il y a quelque chose qui ne tourne pas rond chez vous.

Joentaa attendit.

– Quelque chose qui ne tourne pas rond du tout, répéta la femme.

Joentaa attendit.

– Quelque chose ne tourne pas rond et j'ai bien envie de trouver ce que c'est, reprit-elle.

Puis elle se leva et se laissa tomber dans ses bras. Le vieux fauteuil grinça. Il sentit sa peau sur sa joue, sa langue dans sa bouche et un cri envahit son cerveau.

6

Kimmo Joentaa ne dormait pas. Derrière les fenêtres, la neige et la nuit se fondaient. Il se redressa avec précaution, pour ne pas réveiller la femme allongée près de lui.

Il baissa les yeux quelques minutes sur elle.

L'entendit respirer doucement et régulièrement.

Puis il laissa sa tête retomber sur le coussin du canapé et sentit la femme dont il ne connaissait pas le nom s'agripper à son bras. Elle gémit doucement, comme si elle avait mal. Elle devait rêver. Il se demanda s'il devait la réveiller et la délivrer de son rêve, mais au bout d'un moment elle retrouva son calme et sa respiration redevint régulière. Joentaa ferma les yeux et pensa pour la première fois depuis longtemps à la dernière nuit à l'hôpital.

Aux dernières heures qui étaient devenues les dernières minutes, et les dernières secondes. Sanna aussi dormait. Sanna aussi avait une respiration calme et régulière. Calme et régulière et à peine perceptible. Et la respiration s'était arrêtée.

Il s'y attendait. Il avait attendu ce moment, avec Sanna, car il savait que ce moment-là serait le plus important de sa vie. Le moment qui ne finissait pas.

Quand il entendit frapper à la porte, il crut d'abord qu'il se trompait. Mais on frappa de nouveau, un peu plus fort, de manière plus insistante, il se redressa et vit les chiffres lumineux verts du lecteur de DVD. Bientôt deux heures. Ce ne pouvait pas être Pasi Laaksonen de la maison voisine. Ni sa mère, car il n'y avait pas de train en provenance de Kitee au milieu de la nuit. Ni la femme qui avait cassé le nez d'Ari Pekka Sorajärvi, car elle était allongée près de lui.

Il entendit de nouveau frapper, un peu moins fort, plus timidement. Il se leva et enfila un T-shirt et un pantalon. Il prit la couverture du canapé qui était à moitié tombée par terre et couvrit la femme qui semblait dormir profondément.

Puis il se dirigea vers la porte d'un pas chancelant. Son dos lui faisait mal. Il ouvrit et sentit le froid vif sur sa peau. Il n'y avait personne mais, sous le pommier enveloppé de blanc, il aperçut un homme qui s'apprêtait à monter dans sa voiture.

– Hello ? lança Joentaa.

L'homme s'arrêta et sembla hésiter.

– Kimmo. Excuse-moi. Je pensais… je ne voulais pas sonner, j'ai juste frappé parce que je pensais que tu dormais peut-être.

L'homme avança vers lui. C'était… le Père Noël.

– Tuomas… dit Joentaa.

– Je… je ne veux pas te déranger.

Tuomas Heinonen. Il ne se souvenait pas que Tuomas Heinonen soit jamais venu le voir. Tuomas Heinonen en costume de Père Noël.

– Qu'est-ce que… entre, dit Joentaa.

– Oui… merci.

Tuomas Heinonen resta un instant dans le couloir, courbé et gelé, il semblait chercher ses mots.

– Tu veux… boire quelque chose de chaud ? Tu as l'air d'avoir froid, dit Joentaa en souriant, mais Tuomas Heinonen ne semblait pas l'entendre.

– Chez moi… il y a eu quelques problèmes. Je… nous avons eu une distribution de cadeaux… pour ainsi dire… ratée… Alors j'ai pensé à toi… une chance que tu ne dormes pas encore… à moins que… je t'aie réveillé ?

– Viens, on va s'asseoir et boire quelque chose, dit Joentaa en se dirigeant vers la cuisine.

Tuomas Heinonen le suivit. Il s'assit et contempla d'un air absent la bouteille de vodka et la brique de lait qui se trouvaient sur la table.

– Le problème, c'est que tout est de ma faute, c'est bien ça le pire, dit Heinonen.

– Qu'est-ce qui s'est passé ?

Heinonen le regarda d'un air malheureux, hésita.

– Peut-être que tout est fini entre nous, dit-il enfin en s'appuyant sur le dossier de la chaise, comme si avec ça, tout était dit et expliqué.

Joentaa s'assit en face de lui et attendit.

– Si tu… commença-t-il, mais Heinonen l'interrompit et se mit à parler fébrilement.

– Voilà, je voudrais bien parler de tout ça avec toi, mais je ne sais pas si je peux. C'est… ce sont… c'est difficile.

– Tu n'es pas obligé…

– En fait, les jumelles, Kimmo, c'était trop pour moi.

Et Heinonen se recroquevilla comme si, une fois de plus, tout était dit.

– Les jumelles… dit Joentaa.

– Oui, tu sais que nous avons des jumelles, Tarja et Vanessa…

Joentaa hocha la tête.

– Ce sont des filles… super, bien sûr… Excuse-moi… c'est idiot, ce que je raconte, évidemment… Excuse-moi, s'il te plaît…

Si tu t'excuses encore une fois sans raison, pensa vaguement Joentaa.

– C'était trop pour moi, je ne voulais pas ça, dit Tuomas Heinonen. Je ne voulais pas ça, d'ailleurs je ne voulais pas d'enfant du tout. Je les aime, naturellement, mais je ne les ai pas voulues. Tu comprends ?

– Je ne suis pas tout à fait sûr, répondit Joentaa en voyant des images défiler devant ses yeux.

Le baptême des jumelles. Joentaa y était allé et ne s'était pas senti à sa place parce que, en dehors de quelques collègues, il ne connaissait personne. Heinonen, qui portait une fillette sous chaque bras comme deux ballons de rugby et courait en riant.

– C'est trop pour moi. Nous n'avons plus le temps de rien. Il ne se passe plus rien, en dehors des enfants.

Joentaa hocha la tête.

– Le problème, c'est que… dit Heinonen. J'ai… j'ai cherché une sorte de… compensation.

Joentaa attendit.

– J'ai… j'ai joué.

– Joué ?

– Joué de l'argent. Beaucoup d'argent. Presque tout ce que nous avions mis de côté.

Joentaa hocha la tête et chercha ses mots.

– Des paris sur Internet, dit Heinonen. Des paris sportifs. Du poker virtuel. Mais l'argent, lui, est bien réel. Si on veut. Si… j'ai pété les plombs. Paulina s'en est aperçue, je ne sais pas comment. Mais ce soir, tout d'un coup, elle a commencé avec ça.

Joentaa hocha la tête.

Heinonen regarda la table, puis la manche de sa veste.

– Oh, excuse-moi, j'avais oublié que j'avais encore ce costume ridicule, fit-il, stupéfait.

– Ce n'est pas grave.

– Dis-moi… – Heinonen eut un petit rire – Kimmo, comment fais-tu… comment fais-tu pour rester toujours impassible, même dans les situations les plus grotesques ?

– Il était évident que tu es triste.

– Oui, dit Tuomas Heinonen, l'air pensif. Ce que je voudrais te demander, Kimmo, excuse-moi de t'embêter avec ça, d'ailleurs excuse-moi pour cette intrusion…

– Tu n'as pas besoin de t'excuser.

– Comment as-tu fait… pendant ces années… depuis la mort de ta femme… pour vivre si longtemps comme ça… si… seul… J'ai souvent pensé à toi, et ça va sûrement te paraître bizarre mais je t'admire presque pour ce monde à toi dans lequel tu vis, ce calme qui émane de toi…

Joentaa se demandait où Tuomas voulait en venir, c'est alors qu'il vit les yeux de la femme qu'il ne connaissait pas. Elle était là, dans l'embrasure de la porte, mal réveillée et nue.

– De quoi parlez-vous depuis tout ce temps ? demanda-t-elle.

Heinonen se retourna.

Pendant un moment, tous gardèrent le silence puis Kimmo dit :

– Tuomas, je te présente…

– Les noms n'ont pas d'importance mais tu peux m'appeler Larissa, dit la femme.

Larissa, pensa Joentaa.

– C'est comme ça que m'appellent les autres, précisa-t-elle.

Il y eut un long silence.

Heinonen ne quittait pas des yeux la femme dans l'embrasure de la porte, ce qui n'avait pas l'air de la gêner, pas plus que le silence.

Larissa, pensa Joentaa, et il se sentit léger.

– Je crois que je vais... commença Tuomas Heinonen puis il s'interrompit et Kimmo Joentaa se concentra sur le silence.

Un silence léger, différent. Un silence nouveau.

Les noms n'ont pas d'importance, pensa-t-il.

– Je ne veux vraiment pas vous... je ne savais pas que vous... Paulina doit m'attendre... et les jumelles...

– On va aller se coucher, dit Joentaa.

7

Tuomas Heinonen dormait sur le canapé du salon, la femme dont il ignorait le nom à côté de lui dans le lit de sa chambre et Kimmo Joentaa ne dormait pas.

Il se concentrait de nouveau sur la respiration tranquille et régulière de la femme et sur le silence environnant. Dehors, un matin clair commençait à poindre.

Il se sentait encore léger. Fatigué, léger et il avait soif. Il sortit de la chambre sur la pointe des pieds pour ne pas réveiller ses hôtes. Tuomas Heinonen était étalé sur le canapé. Apparemment, il dormait bien. Sur la table de la cuisine, la bouteille et la brique de lait étaient toujours là.

Joentaa avala un verre d'eau et regarda le matin devenir plus bleu, plus clair, plus blanc et plus ensoleillé, jusqu'à ce qu'il emplisse le carré de la fenêtre comme la reproduction parfaite d'une carte postale. Il pensa au silence et entendit presque simultanément la sonnerie du téléphone puis un bruit sourd.

– Merde… Qu'est-ce que… qu'est-ce qui se passe ? marmonna Heinonen, allongé par terre.

– Ça va ? demanda Joentaa.

– Je suis tombé du lit, enfin, du canapé, répondit Heinonen tandis que Joentaa cherchait vainement le téléphone. Heinonen se redressa et demanda d'un air absent s'il pouvait l'aider.

– Il doit être par ici.

– Ces trucs sans fil… Moi non plus, je ne le retrouve jamais… surtout avec une jumelle dans chaque bras, il faut une troisième main pour trouver le téléphone… dit Heinonen, encore endormi.

La sonnerie du téléphone cessa, et quelques secondes après, celle du portable retentit dans le couloir. Joentaa alla le chercher dans sa poche de manteau.

– Allô.

– Kimmo, c'est Paavo à l'appareil. Noël, c'est fini. Je suis rentré de vacances plus tôt que prévu. Le lieu du crime est dans la forêt. Il faut prendre la Eerikinkatu vers la sortie de la ville jusqu'au bout, puis tourner à gauche, continuer sur la hauteur et après suivre le chemin forestier jusqu'à ce qu'on y soit.

– Bon… je…

– Jusque-là, c'est bon ?

– Oui, oui… Laukkanen ou ses collègues sont au courant ?

– Laukkanen est sur place. C'est lui la victime.

– Bon, je vais me mettre…

– Tu es réveillé ? C'est Laukkanen la victime.

– Laukkanen…

– On a trouvé le médecin légiste Laukkanen dans la forêt. Il a des skis de fond aux pieds et il est mort, dit Paavo Sundström.

Joentaa se tut.

Le silence est léger, pensa-t-il.

– Que se passe-t-il ? demanda Heinonen derrière lui.

– Tu appelles Heinonen ? Je vais prévenir Petri Grönholm, je crois savoir qu'il est rentré hier des Caraïbes, déclara Sundström.

– Oui… Je…

– Kimmo, remue-toi, s'il te plaît ! lança Sundström avant de raccrocher.

– Que se passe-t-il ? répéta Heinonen.

– Laukkanen… dit Joentaa.

– Oui ?

– Paavo Sundström dit qu'il est mort, expliqua Joentaa.

– Ah ! fit Heinonen, incrédule.

– Paavo est déjà sur place et prétend que Laukkanen est la victime.

– C'est une blague, dit Heinonen.

– Allons-y, proposa Joentaa.

– Il se fout de notre gueule, il fait des blagues de plus en plus tordues.

– Allons-y, répéta Joentaa.

Heinonen acquiesça.

– Bien sûr. Mais il y a un truc qui cloche. C'est absurde, dit-il en attrapant ses vêtements sur le dossier du fauteuil. Oh, je… je crains que tu ne sois obligé de me prêter quelque chose, j'avais le costume du…

– Une minute.

Joentaa alla dans la chambre et enfila un pantalon et un pull. La femme s'était enroulée dans la couette et dormait profondément. Il resta un instant à la regarder. Puis il prit dans l'armoire une chemise et un pantalon pour Tuomas Heinonen, referma la porte sans bruit et revint dans le salon. Heinonen enfila les vêtements en quelques secondes.

– On y va ? demanda-t-il.

– Attends.

Joentaa attrapa une feuille et un crayon, hésita un instant.

– Hé… Kimmo ? lança Heinonen.

– Excuse-moi, dit Joentaa avant de se mettre à écrire : *Chère Larissa, on m'appelle quelque part. J'espère que tu as bien dormi. Je serais content que tu sois encore là à mon retour. Kimmo.*

Il posa la feuille et un deuxième jeu de clés bien en vue sur la table du salon. La lumière de ce matin d'hiver était jaune et bleue, elle faisait mal aux yeux.

Heinonen appela sa femme de la voiture, et Kimmo Joentaa pensa à la maison vide, le soir, quand il rentrerait. Et aussi qu'il ne savait pas son adresse, ni sa date de naissance. Il ne savait qu'une chose, elle ne s'appelait pas Larissa.

8

La neige crissait sous ses pieds, Heinonen marmonna quelques mots incompréhensibles et Joentaa se dit que ce n'était pas vrai. Plutôt un tableau, une mise en scène qui contrastait avec la réalité ambiante.

Le corps de l'homme était sur le dos, un ski accroché à son pied se dressait vers le ciel. L'anorak bleu clair était imbibé de sang. Dans leurs combinaisons blanches, les collègues de l'identité judiciaire se fondaient dans la neige.

Kari Niemi, le patron de l'identité judiciaire, donnait des instructions avec son calme habituel. Devant et derrière le corps gisant sur le sol, des pistes de ski de fond partaient à droite vers la forêt et à gauche vers l'horizon. Le soleil hivernal surplombait l'horizon. Paavo Sundström vint au-devant d'eux et dit :

– Vous avez fait vite.

Heinonen répondit quelque chose et Joentaa passa à côté des deux hommes et contourna le corps. Près de la tête de l'homme tournée sur le côté, il y avait un bonnet de laine dont la couleur bleu clair s'apparentait à celle de l'anorak et du ciel. Joentaa s'accroupit et regarda le visage de Patrik Laukkanen.

– Une femme et deux garçons l'ont trouvé. Il a dû être surpris. Sans doute attaqué par derrière, on dirait des coups de couteau. C'est du moins ce que pense Salomon, dit Sundström.

Joentaa leva les yeux et aperçut Salomon Hietalahti assis un peu plus loin sur un banc. Hietalahti était le plus proche collaborateur de Laukkanen à l'institut médico-légal. Joentaa ne connaissait pas bien Laukkanen, mais il savait que Hietalahti et lui travaillaient très bien ensemble. Peut-être même étaient-ils amis. Il se leva et se dirigea vers le banc qui offrait une vue romantique de la ville sous la neige.

– Salomon, fit-il.

– Salut Kimmo, répondit Hietalahti d'un air absent.

Joentaa s'assit près de lui sur le banc.

– Tu ne devrais peut-être pas… te charger de ça, hasarda Joentaa.

– Peut-être, répondit Hietalahti.

Joentaa jeta un regard furtif en direction de Heinonen et Sundström qui étaient plongés dans une discussion animée. Petri Grönholm était près du barrage, avec les deux petits garçons qui avaient trouvé Patrik Laukkanen et qui suivaient le cours des événements avec de grands yeux et des sentiments mitigés. Ils avaient l'air à la fois choqués et excités. En contrebas, dans la ville, les cloches d'une église sonnaient.

– Tu savais qu'il venait seulement maintenant d'avoir un enfant ? Patrik, je veux dire… demanda Hietalahti.

– Non.

– Paternité tardive. Il a déjà la cinquantaine. D'habitude, il ne parlait pas beaucoup de lui, mais ça, il en parlait. Il se disait qu'il était peut-être trop vieux et qu'il pouvait mourir avant que son fils soit majeur… ça le préoccupait.

Joentaa hocha la tête, cherchant ses mots.

– Elle n'est pas encore au courant. Leena… ajouta Salomon. Leena, je veux dire, elle ne sait pas encore que Patrik… est mort. Tu veux t'en charger ? La prévenir ?

– Je ne sais pas… Je vais voir avec Paavo Sundström.

– Ce serait peut-être bien de ne pas trop tarder.

– Bien sûr, tu as raison.

– Ça fait déjà un moment qu'ils vivent ensemble. Au moins treize ans, ça fait treize ans qu'on travaillait ensemble et, quand j'ai commencé ici, Patrik était déjà avec Leena. J'ai été plusieurs fois invité chez eux à manger… Pas très souvent mais c'était toujours très sympa. Patrik m'a raconté que Leena était folle de joie d'avoir cet enfant sur le tard... Il n'a pas précisé, mais je pense que... ils ont dû attendre longtemps avant d'y arriver...

Joentaa hocha la tête.

– Ils habitent tout près d'ici. A deux ou trois kilomètres, dit Hietalahti.

Un peu plus loin, Sundström faisait de grands signes. Joentaa le regarda un moment avant de comprendre que c'était à lui que ces gestes s'adressaient. Il se leva et se dirigea vers Sundström.

– Qu'est-ce qu'il y a ? lui cria-t-il de loin.

– Il faut prévenir sa femme, répondit Sundström.

– Son amie, corrigea Heinonen quand Joentaa les rejoignit.

– Pardon ?

– Son amie. Laukkanen n'était pas marié. Je suis pratiquement sûr qu'il n'est pas marié avec Leena, précisa Heinonen.

– Ça n'a aucune importance, de toute façon il faut prévenir la femme avec qui Laukkanen vivait... un instant... Yriönkatu 17. Vous connaissez la femme ?

Joentaa et Heinonen hochèrent la tête.

– Oui... et ? demanda Sundström.

– Tu la connais aussi, elle était à la fête de Noël il y a quinze jours, dit Heinonen.

– Ah bon ? dit Sundström.

– Elle est nettement plus jeune que Patrik, je dirais, pas loin de la quarantaine, continua Heinonen. Des cheveux blond roux.

– Oui, dit Sundström. Ça y est... je me souviens. Je croyais que Laukkanen la draguait parce qu'il était bourré, j'en avais honte pour lui.

– Ouais... fit Heinonen.

– Remarque, j'étais peut-être jaloux parce que Laukkanen avait beau être bourré, ça marchait.

– Ouais... répéta Heinonen.

Joentaa regarda l'homme mort dans la neige et pensa que deux jours plus tôt, il avait parlé avec Patrik Laukkanen.

Sur un ton neutre, de la mort.

Ils étaient penchés tous les deux au-dessus du corps d'une jeune femme qui avait dû succomber à une overdose de puissants somnifères.

– Leena, tu dis ? C'était une femme superbe, dit Sundström.

Laukkanen. Il avait toujours l'air occupé, sa fébrilité contrastait étrangement avec le silence des salles où il travaillait.

– Kimmo ? fit Sundström.

– Hum ?

– On y va ?

– Bien sûr, répondit Joentaa.

Il avait légèrement le vertige en suivant Sundström jusqu'à la voiture. Il pensait à Laukkanen, à ses jugements toujours clairvoyants et souvent très utiles. C'était peut-être ce qui détonnait dans le tableau. Laukkanen gisant sans vie dans la neige. Laukkanen, infatigable et efficace dans des salles vertes et silencieuses. Laukkanen qui, mieux que quiconque, donnait l'impression de pouvoir affronter la mort.

9

Elle gare la voiture et prend le sac à dos sur le siège du passager. Elle marche dans la neige fondue sans percevoir le bleu lumineux du ciel, elle sourit à Aapeli qui vient au-devant d'elle et la remercie pour sa carte de Noël.

– Les enfants m'ont oublié mais toi... dit Aapeli.

Elle sourit.

– Une belle photo... d'Ilmari et Veikko... Où... où l'avez-vous prise ?

– A Stockholm, sur les bords du fleuve, répond-elle en souriant.

Aapeli hoche la tête.

– Bon, alors, à bientôt, dit-il.
– A bientôt.
– Porte-toi bien.
– Toi aussi.

Elle suit des yeux Aapeli qui avance avec précaution en direction des arbres blancs.

Elle pousse la porte d'entrée de l'immeuble et va à la laverie. Elle tire les vêtements du sac à dos et contemple un instant les taches. Elle sait ce qui s'est passé mais elle ne peut pas s'en souvenir.

Elle met les vêtements dans la machine, ajoute de la lessive et met une pièce dans le distributeur. Elle reste un moment à regarder l'eau qui mousse en se mélangeant avec la lessive.

Elle sort le couteau du sac, se dirige vers le lavabo, tourne le robinet et tient le couteau sous le jet jusqu'à ce qu'il soit comme neuf.

Puis elle monte chez elle. En ouvrant la porte de l'appartement, pour la première fois depuis longtemps, elle a faim.

10

Ils ne mirent pas longtemps. Patrik Laukkanen avait été assassiné tout près de chez lui. Une maison en bois entourée d'un jardin spacieux. Elle semblait avoir été repeinte récemment, dans un ton orangé qui évoquait l'abricot. C'était la première fois que Joentaa y venait.

– C'est ici, dit Sundström.

Joentaa acquiesça.

Sundström resta assis et Joentaa pensa à ce que lui avait dit Salomon.

– Ils ont un enfant, un petit bébé, dit-il.

– En plus, fit Sundström en se tassant au fond de son siège. Puis il se projeta en avant et ouvrit la portière.

– Bon, allons-y, dit-il en descendant.

Joentaa le suivit. Derrière la fenêtre près de la porte d'entrée, il devina une silhouette de femme. Sur la boîte à lettres, il lut Laukkanen/Jauhiainen. Sundström sonna. Joentaa entendit des pas derrière la porte et il eut un pincement au cœur. Leena Jauhiainen ouvrit.

– Oh... Kimmo ! Et...

– Sundström, Paavo Sundström. Nous nous sommes aperçus à la fête de Noël...

– Bien sûr, je me souviens. Patrik n'est pas là, depuis qu'il a neigé, il va faire du ski de fond tous les matins. Vous n'avez pas de... pas de travail pour lui, j'espère... Pas aujourd'hui, n'est-ce pas ?

– Leena...

– Oui ? dit-elle – derrière elle, un bébé pleurait – il y a... un problème ?

– Nous pouvons entrer ?

– Bien sûr. Allez dans le salon, je dois m'occuper de Kalle un instant.

Elle se dirigea vers la pièce voisine et Joentaa suivit Sundström dans la maison. Il y avait un grand arbre de Noël richement décoré dans le salon. Leena revint en portant dans ses bras le bébé qui pleurait doucement.

Ils restèrent un instant face à face.

– Il est arrivé... quelque chose ? Vous me faites peur, dit-elle.

– Patrik est mort, dit Sundström. Il a été attaqué pendant sa promenade et il est mort.

Leena se tut et Joenta frissonna.

– Je suis... désolé, ajouta Sundström, et Leena secoua la tête.

Le bébé souriait.

11

Elle reste un moment au pied de la colline et contemple la maison toute en longueur dont la couleur jaune, dans la lumière du soleil hivernal, évoque la glace au citron. Les enfants font de la luge, de là-haut, les rires parviennent jusqu'à elle, et elle a l'impression qu'on doit les entendre dans toute la ville.

Elle grimpe lentement en haut de la colline, passe à côté des enfants qui se jettent dans la pente d'un air triomphant. Elle a déjà regardé si Rauna n'était pas parmi eux, mais apparemment, ce n'est pas le cas.

Elle longe les longs couloirs. Aux murs sont accrochés des étoiles de Noël en papier et en carton, des arbres de Noël, des triangles vert foncé sur de petits troncs. Elle trouve Rauna dans la salle principale. Elle est assise à une table avec Hilma. Elles font un puzzle. Hilma fredonne et se balance sur sa chaise, tandis que Rauna, concentrée, place soigneusement les pièces.

Elle reste un moment dans l'embrasure de la porte à les regarder.

– Vous n'allez pas faire de la luge? demande-t-elle.

– C'est ce que j'ai dit, mais Rauna veut absolument finir son fameux puzzle, répond Hilma.

Rauna sourit et lui fait signe d'approcher. Elle s'écarte de la porte et s'approche de la table.

– C'est presque fini, précise Rauna en regardant alternativement les pièces du puzzle et le couvercle sur lequel on peut voir le modèle du puzzle achevé. Une arche de Noé. Des lions, des éléphants, des girafes, des singes et un homme barbu qui attend déjà, aux commandes, pour prendre le large. Hilma bondit de sa chaise et va mettre son nez sur la vitre derrière laquelle les enfants font de la luge. Rauna dispose les dernières pièces du puzzle et contemple un instant le tableau avant de battre des mains.

– Terminé ! s'exclame-t-elle.

– Alors, on y va ! Faire de la luge ! s'écrie Hilma en se précipitant.

– Tu nous regardes ? demande Rauna.

Elle hoche la tête.

Rauna saute de sa chaise et se précipite à la suite d'Hilma, et elle, elle regarde encore une fois le tableau auquel les mains de Rauna ont donné forme. Pièce par pièce, jusqu'à ce que les parties fassent un tout. Elle passe la main dessus. Puis lentement, elle sort. Hilma et Rauna font la queue pour avoir une luge. Hilma en reçoit une marron, en bois, et Rauna une rouge, en plastique.

– La première en bas ! crie Hilma en se précipitant avec une légère avance dans la pente. Rauna hésite un instant puis elle s'assied doucement et s'élance. Arrivée en bas, Hilma crie qu'elle a gagné. Rauna hoche la tête, regarde vers le haut, semble chercher quelque chose.

– Je suis là, Rauna ! s'écrie-t-elle. Là-haut ! Je vous ai regardées descendre !

Elle lui fait signe et Rauna lui répond.

12

Le soir, il neigeait et la maison était plongée dans l'obscurité.

Kimmo Joentaa gara la voiture sous le pommier et sortit dans le froid. Il resta d'abord immobile dans le couloir, essayant de repérer les bruits qui trahiraient une présence humaine. Il n'avait ni adresse ni date de naissance. Il ne retrouverait pas la femme dont il ignorait le nom.

Il alla dans la cuisine et alluma la lumière. Sur la table, il y avait la brique de lait et la bouteille de vodka, sur le plan de travail près de l'évier, un bol et le paquet de céréales, à côté, une cuillère.

Manifestement, la femme avait mangé du muesli en se levant. Avant de refermer la porte derrière elle et de partir.

Joentaa s'assit à la table et pensa à Patrik Laukkanen avec qui, deux jours plus tôt, il parlait de la mort tranquillement, sur un ton neutre. À Leena qui avait un bébé dans les bras pendant que Sundström essayait de lui expliquer quelque chose d'inconcevable. À Sundström qui, soucieux d'efficacité, répartissait les tâches de chacun. À Heinonen qui, le soir où Kimmo l'avait ramené chez lui, lui avait dit, à voix basse, l'air absent : je ne m'en sortirai plus, et Kimmo n'avait pas compris. Demain, en Angleterre, c'est le Grand Jour, avait dit Heinonen et Kimmo n'avait toujours pas compris.

– Demain, pour le championnat anglais, c'est Boxing Day, j'ai parié gros sur Manchester contre Arsenal.

Kimmo avait ouvert de grands yeux.

– Tu comprends ? avait demandé Heinonen et Joentaa avait vaguement acquiescé.

Heinonen était descendu et Kimmo avait vu Paulina lui ouvrir la porte, Heinonen s'était penché et avait pris les jumelles dans ses bras.

Joentaa se leva et alla au salon. Sur le lac derrière la baie, des enfants faisaient du hockey sur glace. Au-dessus d'eux, la lune était pâle et sur le canapé, il aperçut le costume de Père Noël de Tuomas Heinonen.

Il crut entendre un bruit à la porte. Il attendit. L'entendit de nouveau. Quelqu'un frappait à sa porte. Pasi Laaksonen. Ne voulait-il pas venir dîner avec eux ? Il se précipita vers la porte et ouvrit, légèrement essoufflé.

– Attention, dit-elle, et Joentaa s'écarta pour laisser passer la femme blonde qui portait un arbre dans les bras. Un sapin d'environ un mètre de haut. Elle se dirigea sans hésiter vers le salon et posa l'arbre le long du mur, près de la baie.

– C'est là que ça me plairait le mieux, dit-elle et Joentaa hocha la tête.

– Qu'est-ce que tu en penses ? demanda-t-elle.

– Bien sûr. C'est parfait.

– Tu as des décorations ? demanda-t-elle.
– Des... ?
– Tu sais, des boules rouges par exemple.
– Oui... Il faudrait que je cherche...
– Eh bien, vas-y, lança-t-elle.

Joentaa hocha la tête et descendit à la cave. Il savait où se trouvaient les décorations. Il s'y retrouvait dans le fouillis de sa buanderie. Les boules rouges en question étaient dans un carton, avec quelques anges en bois et divers rois mages.

Il remonta le carton. Debout près de l'arbre, Larissa vérifiait s'il était bien droit.

– Tiens, il y a des boules et d'autres trucs, dit Joentaa en lui tendant le carton.

– C'est pas mal, tu ne trouves pas ? demanda-t-elle.

Joentaa hocha la tête et la regarda disposer avec soin, mais sans traîner, les décorations de Noël sur l'ensemble du sapin. Puis ils restèrent un moment l'un à côté de l'autre, silencieux.

Dehors, sur le lac, les enfants se disputaient. Leurs voix traversaient la vitre, apparemment, ils n'étaient pas d'accord sur le score.

Joentaa regarda l'arbre et sentit un sourire sur son visage.

13

Il se réveilla dans la nuit parce qu'un poids pesait lourdement sur son corps et, quand il ouvrit les yeux, il vit Larissa qui s'était endormie sur lui.

Il se redressa délicatement et la poussa sur le côté. La couvrit et la prit dans ses bras. La tint serrée contre lui jusqu'à ce que, à moitié endormie, elle se mette à rire et lui demande s'il voulait l'étouffer.

– Certainement pas, dit-il en relâchant son étreinte.

Elle hocha la tête et se rendormit aussitôt.

En contemplant le tourbillon de neige derrière la fenêtre, il pensa à Leena Jauhiainen, qui, le matin, s'était effondrée en silence. Elle était d'abord restée quelques minutes assise sur le canapé, le bébé dans les bras, avait posé des questions auxquelles Paavo Sundström avait répondu. Elle avait donné l'impression d'être très calme mais ensuite elle avait posé doucement l'enfant à côté d'elle et était tombée du canapé en pleurant. Joentaa s'était assis entre elle et le bébé, d'une main, il lui tenait l'épaule et de l'autre la main de l'enfant qui était allongé sur le canapé très calme, les yeux grands ouverts. Sundström avait appelé un médecin d'urgence qui était arrivé très vite et lui avait prescrit des calmants.

Il se leva et se rendit dans la cuisine. Il se fit un thé et s'assit à la table devant sa tasse fumante. Il se demanda si Leena Jauhiainen dormait à présent. Probablement, grâce aux médicaments efficaces. Deux jours plus tôt, il avait justement parlé de ce genre de médicaments avec Patrik Laukkanen. Une femme était morte d'une overdose de ces somnifères, maintenant, Leena en prenait parce que Patrik était mort et demain, c'était Boxing Day. Le Grand Jour du championnat anglais, comme avait dit Tuomas. Joentaa se demanda ce que voulait dire Tuomas quand il disait qu'il avait parié gros sur Manchester contre Arsenal.

– Ça va ? demanda Larissa.

Elle était dans l'embrasure de la porte, enroulée dans la couette, et Kimmo Joentaa fut envahi par une vague de soulagement et de joie qu'elle soit là et il se demanda pourquoi.

– Tout va pour le mieux ? demanda-t-il.

Elle s'assit en face de lui.

– Tu veux aussi un thé ?

Elle fit signe que oui.

– A la menthe ?

– Volontiers.

Ils étaient assis l'un en face de l'autre et il se mit à parler de Laukkanen. Et de Leena. Elle se contentait de hocher la tête, elle n'avait pas l'air impressionnée.

– Tu ne parles pas du super pathologiste par hasard ? demanda-t-elle.

– Tu veux dire quoi ?

– Ce médecin légiste qui était chez Hämäläinen.

– Je ne comprends pas un mot.

– Chez Hämäläinen, dans le talk-show de l'autre jour, il y avait deux types, un qui était médecin légiste et l'autre qui fabriquait des masques ou des mannequins, je ne sais pas comment on appelle les gens qui font des mannequins pour la télé… des cadavres pour les films…

– Oui… dit Joentaa, toujours sans comprendre.

– Il était question de ces mannequins, qui doivent être très fidèles à l'original, et le médecin légiste a raconté que les cadavres pouvaient donner aux enquêteurs des renseignements précieux sur leurs meurtriers et il l'a montré sur les mannequins.

– Ah ! fit Joentaa.

– Mais c'est toi qui es le policier, ça devrait te dire quelque chose.

– Oui… en principe… dit Joentaa qui se souvenait maintenant vaguement que Heinonen et Grönholm avaient parlé de ça. La médecine légale devait participer au talk-show d'Hämäläinen. Pour une raison quelconque, ça les avait fait beaucoup rire. Avaient-ils mentionné Patrik Laukkanen ? Il avait suivi tout ça de loin et s'était demandé pourquoi on en faisait toute une histoire.

– J'ai trouvé l'émission nulle, ajouta Larissa.

Joentaa acquiesça.

– Je ne sais plus pourquoi mais il y a un truc qui m'a choquée dans cette émission, dit-elle.

Joentaa se promit de parler à l'occasion du talk-show de Hämäläinen avec Heinonen et Grönholm, bien que ce n'ait sans doute aucun rapport avec l'enquête.

14

Quand Kimmo Joentaa se réveilla le lendemain matin, Larissa était déjà debout. Il entendit le bruit de la douche. Au bout d'un moment, elle revint et dit qu'elle devait retourner travailler. Il était au lit et réfléchit, pas encore bien réveillé, à la phrase qu'elle venait de prononcer.

– Tu veux dire… murmura-t-il tandis qu'elle cherchait ses vêtements.

– Travailler. Faire mon job, dit-elle. Le dernier vendredi de l'année, les clients se réveillent tout doucement.

Joentaa hocha la tête.

– Ça te dirait que je repasse ce soir ? demanda-t-elle.

Joentaa la regarda un moment sans rien dire puis il hocha de nouveau la tête. Il essayait de formuler quelque chose dans sa tête tandis qu'elle s'habillait. Quelque chose qu'il voulait lui demander.

– A plus tard, lança-t-elle en partant.

Il était assis dans son lit, droit et immobile, quand la porte d'entrée se referma.

Il roulait maintenant en direction de Turku. Il était en retard. Le jour se levait doucement sur une autre journée de carte postale. Le soleil filtrait à travers les branches des arbres et la neige fraîche ressemblait à de la barbe à papa. La route était large et déserte.

Il tourna à gauche dans la rue étroite qui menait au commissariat, dépassa le long bâtiment à toit plat situé sous la clinique des accidentés qui hébergeait la médecine légale. Il réduisit sa vitesse et crut reconnaître derrière une des fenêtres la silhouette de Salomon Hietalahti. Salomon parlait avec une collègue, et Patrik Laukkanen, qui, deux jours plus tôt, était encore le patron de ce service, était devenu pour ses collègues l'objet d'une des tâches à accomplir. Il se demanda qui allait se charger de l'autopsie et pensa vaguement à ce que Larissa, ou quel que soit son vrai nom, avait raconté sur le talk-show de Hämäläinen. Il ne s'arrêta pas.

Quand il entra dans le bureau, Tuomas Heinonen et Petri Grönholm étaient déjà devant leurs ordinateurs. S'ils avaient été surpris d'arriver ce matin-là avant lui, ce qui n'était pas la coutume, ils n'en laissèrent rien paraître. Sundström arriva de la pièce attenante.

– Pas en avance, Kimmo ! dit-il. Si je ne te connaissais pas, je dirais qu'il y a une nouvelle femme dans ta vie.

– Salut, fit Joentaa.

Heinonen et Grönholm marmonnèrent un vague bonjour. Kimmo pensa à Tuomas Heinonen et à son air médusé quand Larissa était apparue dans l'embrasure de la porte. Il lui lança un coup d'œil furtif et croisa un regard difficile à interpréter. Il crut distinguer un vague sourire. Dans la nuit déjà, Kimmo avait eu le sentiment qu'en parlant d'une « nouvelle femme dans sa vie » Heinonen était vraiment content pour lui. Aussi bizarre que tout ça puisse lui paraître, mais peut-être qu'au vu de ses propres problèmes Heinonen ne faisait plus attention aux détails.

Joentaa lui rendit son sourire en pensant au Boxing Day dans le football anglais, puis de nouveau à Patrik Laukkanen et à Salomon Hietalahti qui serait probablement chargé de l'autopsie. Il s'assit à son bureau et alluma son ordinateur. Il chercha encore le regard de Heinonen mais celui-ci avait la tête baissée sur son écran.

– On se retrouve à 14 h 30 dans la salle de réunion, déclara Sundström. Il y aura aussi les autres collègues impliqués dans l'enquête. D'ici là, nous devrions avoir rassemblé tout ce qui peut y avoir de substantiel dans la sphère privée de Laukkanen. D'accord ?

Tous hochèrent la tête.

– Kimmo, je voudrais que tu retournes chez Leena Jauhiainen. J'ai appelé chez elle, ça a l'air d'aller un peu mieux. Entre-temps, elle a établi une liste de tous les contacts importants que Patrik avait, la voici.

Joentaa acquiesça. Contacts privés. Contacts professionnels. Qu'aimait-il ? De quoi avait-il peur ? Dans quoi réussissait-il, qu'est-ce qui lui posait des problèmes ? Qui estimait-il, qui détestait-il ? Des choses qui, du vivant de Laukkanen, n'avaient pas d'importance.

Sundström leur distribua une copie de la liste. Un document soigneusement conçu. Noms, coordonnées. Joentaa imagina Leena en train de l'écrire, assise devant son ordinateur. Pendant que le bébé dormait et que la vie se brisait.

– J'ai déjà dispatché toutes les tâches, précisa Sundström. D'ici midi, chacun devra avoir recueilli des informations sur les personnes dont il est chargé.

– Pas de problème, dit Petri Grönholm.

– Ce serait bien d'avoir bientôt une idée du mobile du crime, compléta Sundström.

Joentaa repensa à la conversation qu'il avait eue avec Larissa dans la nuit.

– C'est bien Patrik qui a participé récemment au talk-show de Hämäläinen ?

Sundström n'eut pas l'air de comprendre de quoi il s'agissait.

– Oui, répondit Grönholm. Il s'en est plutôt bien sorti.

Heinonen acquiesça.

– C'est important ?

– Sans doute pas. C'est juste que... on m'en a parlé et je ne savais pas très bien si c'était Patrik ou un autre collègue de la médecine légale.

– Pourrais-je savoir de quoi il est question ? demanda Sundström.

– Patrik Laukkanen était dans le talk-show de Hämäläinen. Une très bonne prestation. Il n'a pas arrêté de les faire rire, expliqua Heinonen.

– J'ai raté ça, dit Sundström.

– Il était vraiment bon. Plein de répartie et drôle, étonnant, dit Grönholm.

– Ah... fit Sundström.

– Ça n'a sûrement pas d'importance, dit Joentaa.

Il se mit en route pour la banlieue de Turku, un beau quartier résidentiel du Klosterberg, et s'arrêta devant la maison orange dans laquelle Patrik Laukkanen avait habité. Dans le salon, il s'assit en face de Leena Jauhiainen qui tenait son bébé dans les bras et disait que les comprimés lui avaient fait du bien.

– D'abord, je me suis sentie fatiguée, puis légère. C'est étonnant, l'effet que peuvent produire ces petites choses, dit-elle.

Joentaa hocha la tête.

– J'espère que l'effet durera un moment. Je ne peux pas en prendre beaucoup parce que j'allaite.

Ils restèrent un moment silencieux. Puis il commença à lui poser des questions. En lui répondant, Leena avait l'air à la fois concentrée et absente et Joentaa découvrit un autre Patrik Laukannen. Un Laukkanen amoureux de musique classique et danseur passionné de surcroît. Champion de danse classique en 1989.

– C'est grâce à la danse que nous nous sommes connus. Lors d'un concours. Au début, j'ai pensé qu'il était... oui, de l'autre bord. Ce n'est pas rare dans cette discipline. Mais heureusement, je m'étais trompée.

Joentaa hocha la tête.

– Et comment ! ajouta-t-elle avec un sourire furtif.

L'enfant se mit à pleurer. Leena lui donna le sein et Kimmo Joentaa pensa au Laukkanen qu'il avait connu, un Laukkanen efficace qui parlait vite et sans détour, qui semblait n'avoir pas le temps de s'occuper d'autre chose que de la mort. Mais pendant les autopsies, il émanait de lui un calme, une sérénité qui faisait presque peur à Joentaa.

Quand il partit, l'enfant dormait déjà et, sur le pas de la porte, Leena le suivit des yeux. Derrière le pare-brise, le monde était blanc et ensoleillé. Dans la salle de conférence, la réunion fut placée d'emblée sous le signe du principe d'efficacité et de clarté optimales cher à Sundström, qui contrastait avec le fait qu'il n'y avait pas l'ombre d'une explication pour la mort de Patrik Laukkanen. Etaient présents douze enquêteurs et huit agents patrouilleurs qui avaient été engagés dans la première phase.

Quand, en rendant compte de son enquête, Joentaa mentionna que Patrik Laukkanen avait été danseur, tous se mirent à rire. Quand dans l'espoir de faire cesser les rires, il précisa qu'il avait remporté les championnats de Finlande, ce fut l'hilarité générale, laquelle retomba d'un coup lorsqu'ils réalisèrent qu'ils riaient d'un collègue mort.

Vers trois heures et demie, Sundström proposa de faire une pause, et Heinonen, qui était assis à côté de Joentaa, sortit précipitamment comme s'il n'avait attendu que ça.

– Ça va ? lui demanda Joentaa en le voyant revenir

– Oui, oui, ils ont deux heures de décalage mais ça va bientôt commencer.

Joentaa le regarda d'un air perplexe.

– Les matchs. Le Boxing Day. Ça commence bientôt, expliqua Heinonen en regardant de nouveau sa montre. Joentaa suivit son regard. 13 h 37. Tuomas Heinonen avait mis sa montre à l'heure britannique.

– Souhaite-moi bonne chance, chuchota-t-il quand ils retournèrent dans la salle de réunion. Il avait le regard absent, fixé sur un point lointain, comme celui de Leena Jauhiainen le matin dans la maison orange.

– Tu as parié sur qui ? demanda Joentaa.

Heinonen feuilletait machinalement ses dossiers, il n'avait pas l'air d'avoir entendu.

– Tuomas... ?

– Quoi ? Excuse...

– Tu as parié sur qui ? Je ne peux pas te souhaiter bonne chance si je ne sais pas pour qui je dois croiser les doigts...

– Manchester United. Victoire à l'extérieur, dit Heinonen.

Joentaa acquiesça.

Heinonen le regarda dans les yeux.

– Souhaite-moi bonne chance, répéta-t-il et Joentaa eut envie de poser à Heinonen la question qui le tracassait, à savoir combien il avait parié.

Sundström se racla la gorge et demanda à Kari Niemi de leur exposer les résultats de l'identité judiciaire. Pour la première fois ce jour-là, on sentit renaître un sentiment de confiance et une certaine énergie quand Niemi rapporta que le nombre d'indices réunis était étonnant.

– Nous avons pratiquement trouvé tout ce qu'on pouvait trouver. Des traces de fibres étrangères sur les vêtements du... sur les vêtements de Patrik. Les enfants qui ont découvert Patrik avaient contaminé le lieu du crime, cependant, on peut conclure de ce que nous avons pu analyser jusque-là que Patrik n'a pas été attaqué par-derrière, comme nous l'avons d'abord supposé, mais de face. Attaque frontale. Et il semble que, jusqu'au dernier moment, il n'ait pas tenté d'éviter le coup.

Kari Niemi avait les yeux baissés sur ses papiers, ce fut Paavo Sundström qui rompit le silence :

– Tu es sûr ?

– Avec ce genre de reconstitution, on est toujours dans la spéculation, mais notre hypothèse coïncide avec la première analyse de Salomon Hietalahti après expertise de l'angle de la perforation. Et il est certain que, malgré la contamination, le périmètre de la lutte entre le meurtrier et la victime est extrêmement restreint. Rien n'indique que Patrik ait essayé de changer de direction. Le meurtrier n'a donc pas déclenché chez lui de réflexe de fuite à temps.

Sundström hocha un moment la tête.

– Je te remercie, c'est intéressant, dit-il enfin.

– Voilà où nous en sommes, reprit Niemi. Le problème, c'est que nous ne pourrons analyser de manière substantielle les traces relevées que lorsqu'une comparaison avec les vêtements et objets d'un suspect sera possible. En attendant, ça ne nous avance guère. Et comme je l'ai déjà dit, les enfants se sont déplacés sur le lieu du crime et se sont approchés assez près du... corps de Patrik avant que n'arrive, quelques minutes plus tard, la femme qui nous a prévenus. Nous devons donc distinguer les traces laissées par les enfants de celles qui appartiennent au meurtrier pour avoir une vue d'ensemble de la situation.

– Oui, dit Sundström. Mais je te remercie, c'est un début.

Un peu plus tard, ils se séparèrent. Sundström répartit diverses tâches pour le reste de la journée. Joentaa appela de son bureau Salomon Hietalahti, dont la voix lui sembla bien lointaine quand il se mit à parler de paramètres, de l'angle de la perforation et des résistances qu'avaient opposées à la lame les vêtements, la peau et la structure osseuse.

– Tu sais que nous ne pouvons jamais juger avec certitude, mais l'impression s'est confirmée. Ça ressemble à de la... colère, dit-il.

Joentaa attendit que Hietalahti précise sa pensée mais rien ne vint.

– Que veux-tu dire ? demanda-t-il.

– On dirait que son assaillant a frappé sous le coup de la colère. Il y a des coups de couteau répartis au hasard sur presque tout le buste. Certains sont superficiels, d'autres très profonds. On dirait que le moteur n'était pas... une réflexion délibérée mais, oui... de la colère... tu comprends ?

– Oui... je te remercie, ça peut nous être utile, dit Joentaa.

– Tu crois ?

– Oui... je pense, oui, répondit Joentaa.

– Moi, ça ne m'aide pas parce que je ne peux pas imaginer quelqu'un qui... je ne peux pas l'imaginer, c'est tout. Et je ne connaissais pas vraiment Patrik, ajouta Hietalahti.

Joentaa ne sut que répondre. Il mit fin à la conversation et pensa à Patrik Laukkanen, se demanda comment il avait pu s'attirer la colère dont avait parlé Salomon. Patrik n'avait pas essayé d'éviter le coup. La personne qui venait au-devant de lui n'avait pas déclenché chez lui de réflexe de fuite.

Il leva les yeux de son bureau et regarda Tuomas Heinonen qui fixait l'écran de son ordinateur d'un air concentré, marmonnant des jurons de temps en temps.

– Tuomas ?

– Oui... excuse-moi... Je viens juste de... regarder où ça en est...

Joentaa hocha la tête.

– Ça vient de commencer. Pas encore de but, dit Heinonen.

15

– Je glisse sur la neige comme sur des rails, dit-elle.

Elle sourit comme pour s'excuser, car elle sait qu'elle n'a pas répondu à sa question. Il a l'air d'attendre qu'elle précise sa pensée.

– Cet après-midi, je suis allée voir Rauna, dit-elle.

Il hoche la tête.

– Elle allait bien, dit-elle.

– C'est bien que vous vous réconfortiez mutuellement, dit-il, mais il est possible qu'à un moment donné Rauna commence à établir un lien entre l'événement et sa propre personne. Et là, il se peut que vous ne puissiez plus l'aider, et qu'au contraire votre présence soit un poids pour elle. Vous comprenez ?

– Rauna était contente que je sois là, répond-elle.

– Je sais. Je veux juste vous aider à comprendre que Rauna aura besoin de temps pour assimiler l'événement, qu'elle va passer par diverses étapes.

L'événement, pense-t-elle. Avec quelle évidence il dit ça. Elle l'aime bien. Il est à la fois intelligent et gauche. Elle aime ce curieux mélange, par moments il lui rappelle Ilmari. Ils ne se ressemblent pas, mais l'âge correspond à peu près. Ilmari aurait-il qualifié d'événement l'effondrement du ciel ? Peut-être, dans ces circonstances.

– Qu'est-ce que ça apporte ? demande-t-elle.

Il attend.

– Qu'est-ce que ça apporte de parler d'un événement ?

Il attend un moment avant de répondre :

– Je trouve ça important de trouver un concept qui mette de la distance. Vous avez besoin de distance pour pouvoir… repartir à zéro.

– Vous le croyez vraiment ?

Il hoche la tête.

– Parce que c'est ce qu'on vous a appris ?

Il reste un moment sans rien dire.

– Que vouliez-vous dire quand vous avez parlé de glisser comme sur des rails ? demande-t-il enfin.

– C'est ce que j'aimerais le plus faire. Glisser sur la neige sur des rails et rétablir l'ordre du monde, répond-elle.

Il attend, mais elle ne sait pas ce qu'elle pourrait encore lui dire.

– Vous comprenez ? demande-t-elle.

Il hoche la tête.

Quand elle sort dans le froid, il neige, et Ilmari et Veikko sont toujours enterrés sous le ciel.

16

Quand Joentaa arriva chez lui, la maison était plongée dans l'obscurité. Il ouvrit la porte et resta un instant sur le seuil.

– Larissa ? dit-il doucement.

Pas de réponse. Il alla dans le salon, se laissa tomber sur le canapé et contempla un moment le petit arbre de Noël près de la baie vitrée. Il essaya de se concentrer sur Patrik Laukkanen. Sur l'ébauche d'un mobile de crime. Comme l'avait formulé Sundström. Il y avait eu une enquête bien menée, un scénario concluant et des indices utiles, mais pas ce qui dans la plupart des cas pouvait être envisagé au moins comme une éventualité – il n'y avait aucun indice sur les mobiles du meurtrier.

Joentaa regarda l'écran du téléviseur, la silhouette de son propre corps qui s'y reflétait, il entendit un bruit léger, sentit un courant d'air froid quand la porte d'entrée s'ouvrit. Il resta immobile, retenant son souffle. Dans la cuisine, on ouvrait la porte du réfrigérateur. Le tintement d'un verre. Le bruit de l'eau. Au bout d'un moment, de profondes inspirations. Quelqu'un respirait. Dans sa maison. Il attendit.

– Bonsoir, Kimmo, fit Larissa.

Il se retourna, elle était dans l'embrasure de la porte. Sa voix était changée. Étrangère et familière.

– Bonsoir… dit Kimmo.

– Je suis assez fatiguée, dit-elle. Je crois que je vais bientôt aller me coucher.

– Pas de problème.

Elle effleura sa veste, s'assit sur l'accoudoir du fauteuil et le regarda.

– Ça va ? demanda-t-il.

Elle fit signe que oui, se leva et se déshabilla. Plia soigneusement ses vêtements sur le canapé à côté de lui.

– C'est bien… dit Joentaa.

Elle le regarda d'un air interrogatif.

– C'est bien que tu sois là.

Elle le regarda d'une manière qu'il ne sut interpréter.

– Dors bien, Kimmo, dit-elle.

Elle se dirigea vers la chambre et referma la porte derrière elle sans se retourner.

27 décembre

17

Quand Joentaa se réveilla, il ne savait plus où il était. Au bout de quelques secondes, il retrouva ses esprits. Il était assis sur le canapé du salon, les chiffres sur le lecteur de DVD indiquaient 6 h 38. Il se passa la main sur le visage et pensa à Tuomas Heinonen qui était parti dans l'après-midi interroger les personnes de l'entourage de Patrik Laukkanen inscrites sur sa liste. « Souhaite-moi bonne chance », avait-il dit avant de quitter le bureau. Il ne faisait pas allusion aux questions qu'il avait sous les yeux. Depuis, Kimmo ne l'avait pas revu.

Il se leva et se dirigea vers le téléviseur. Il attrapa la télécommande et alluma. Pendant que l'image apparaissait, il essaya de se remémorer ce que Tuomas avait dit. Manchester. Victoire à l'extérieur.

Il activa le vidéotexte et sentit la nervosité l'envahir en tapant les chiffres des pages sportives. Le deuxième titre était consacré à la rencontre au sommet du championnat anglais. Trois partout. Match nul. Arsenal avait égalisé pendant les cinq dernières minutes des prolongations.

Joentaa s'assit en tailleur devant le téléviseur et lut le texte qui parlait d'un des matchs les plus spectaculaires de la saison. Il pensa au regard voilé, stressé de Heinonen.

Ça valait sans doute mieux. Il fallait que Tuomas perde pour revenir à la raison. Joentaa ne savait pas grand-chose de la psychologie du jeu, mais quand même assez pour savoir que l'engrenage du gain menait à la catastrophe. Lors d'un voyage en

France avec Sanna quelques années plus tôt, il avait découvert dans une discothèque une table de roulette et il ne lui avait fallu que quelques heures pour tripler la somme d'argent de leurs vacances avant de tout perdre.

Il se souvint du sentiment d'abattement, des regards perplexes, déçus de Sanna. De la colère qu'elle avait ravalée parce qu'elle avait assez de compassion et d'humour pour voir le côté comique d'une situation.

Il pensa que seul un échec pouvait aider Tuomas à s'en sortir et se demanda en même temps quel était pour lui le prix à payer. Il fallait qu'il demande à Tuomas de quelle somme il s'agissait.

Quand il entendit la sonnerie de son portable, il fut persuadé que c'était Tuomas. Tout en fouillant dans son manteau, il se demanda comment il pourrait l'amener à arrêter de jouer.

C'était Sundström.

– Ça tourne au burlesque, dit-il.

Joentaa attendit.

– Harri Mäkelä, dit Sundström.

– Qui ? demanda Joentaa.

– Celui qui fabrique les mannequins, dit Sundström.

Sundström n'ajouta rien, comme si tout était dit et Kimmo Joentaa fut pris de vertige.

– Retrouvé assassiné. Vers minuit. À Helsinki, où il vit, ajouta Sundström.

– Celui qui était dans le talk-show d'Hämäläinen avec Patrik ? demanda Joentaa.

– Il était sorti acheter des cigarettes. Son colocataire, ou son ami ou je ne sais quoi, s'est inquiété au bout d'un moment et il a eu l'idée d'aller voir dehors. Il n'a pas eu à chercher longtemps, Mäkelä gisait juste devant la maison. Sur le trottoir. Ensanglanté. Visiblement tué à coups de couteau.

Joentaa ferma les yeux et essaya de se concentrer sur la voix de Sundström. Dans un coin de sa tête, il entendait les paroles qu'avait prononcées Larissa à propos du talk-show.

– Les collègues d'Helsinki pensent qu'il n'est même pas allé jusqu'au distributeur. En tout cas, il n'avait pas de cigarettes sur lui et il était allongé comme s'il venait de sortir de la maison.

– Ce qui veut dire...

– Ce qui veut dire que le meurtrier a attendu qu'il sorte et qu'il n'a pas tendance à perdre de temps. Il y a un premier scénario des circonstances du meurtre qui n'est pas habituel, il a visé la gorge et la tête de Mäkelä .

– Quoi ? fit Joentaa.

– Il est possible que Mäkelä se soit approché d'une voiture, ça collerait aussi avec le relevé des indices, qu'il se soit penché à la fenêtre de la voiture et que le chauffeur l'ait frappé à coups de couteau. On aura sans doute un profil de pneus.

– Bien, dit Joentaa.

– Une enquête sur la base d'un profil de pneus n'est pas très prometteuse, objecta Sundström.

– C'est déjà ça...

– Les collègues ont assez vite fait un lien entre le meurtre de Mäkelä et celui de Laukkanen. Le meurtre d'un collègue ne leur échappe pas, même s'il a lieu à Turku et apparemment, à part moi, tout le monde regarde ce show à la télé. J'ai déjà appelé Salomon Hietalahti. Les instituts médico-légaux comparent leurs résultats pour voir si, dans les deux cas, l'arme du crime est la même. En tout cas, la démarche est comparable.

Joentaa se tut.

– L'enquêteur principal est Marko Westerberg. Tu le connais ? demanda Sundström.

– Pardon ? demanda Joentaa. Il voyait un homme sortant de chez lui. Un assaillant qui l'attendait. Qui n'attendait que ce moment. Patient et concentré.

–Westerberg. Je te demande si tu le connais, dit Sundström.

– Non, répondit Joentaa.

– J'ai eu l'occasion de le rencontrer. Il est un peu léthargique mais très méticuleux. Quand il parle, on a toujours l'impression qu'il va s'endormir d'une seconde à l'autre.

– Ah, fit Joentaa.

– On part pour Helsinki. À huit heures. Je voudrais qu'avant tu préviennes Tuomas et Petri, qu'ils continuent à Turku, je vais établir un planning.

Un assaillant, silencieux, patient et concentré, pensa Joentaa.

– Il faut qu'on découvre quel lien existe entre Mäkelä et Patrik Laukkanen. Hormis leur présence à ce talk-show, dit Sundström.

Silencieux, patient et concentré. Et sous le coup de la colère.

– Je veux voir cette émission le plus vite possible, déclara Joentaa. Larissa… une amie m'en a parlé, elle l'avait vue…

– Larissa ? demanda Sundström.

– Il faut demander à la chaîne un DVD de l'émission, dit Joentaa. À moins que Patrik n'ait enregistré l'émission. Si je devais participer à un talk-show, je l'enregistrerais à tous les coups. Non ?

– C'est possible, répondit Sundström.

– Je vais demander à Leena. Il faut absolument qu'on voie cette émission le plus vite possible, dit Joentaa.

– Oui.

– Je voudrais l'avoir vue avant qu'on parte à Helsinki. J'appelle Leena tout de suite et je lui demande si elle peut nous aider. A tout à l'heure.

– Hé… Kimmo…

Joentaa mit fin à la conversation et composa le numéro qu'il avait enregistré sous le nom de Patrik Laukkanen. Il laissa sonner jusqu'à ce que Leena Jauhiainen décroche et prononce son nom d'une voix absente, basse.

– Excuse-moi Leena, je sais qu'il est tôt… dit-il.

– Bonjour, Kimmo. Je ne dormais pas, répondit Leena.

– J'ai une question… commença Joentaa.

– Il y a… C'est quelque chose d'…

Leena ne finit pas sa phrase. Quelque chose d'important, avait-elle sans doute voulu dire, mais qu'y avait-il d'important après la mort de Patrik ?

– Patrik a participé à un talk-show, il y a quelques mois…

– Oui, répondit-elle.

– Tu sais s'il a enregistré l'émission ?

– Oui, Kimmo, je le sais. Il a bien dû m'appeler une dizaine de fois pour s'assurer que j'appuyais bien sur les bons boutons du lecteur de DVD. C'était... c'était important pour lui... ça lui a fait plaisir... et il s'en est vraiment bien sorti.

– Tu as le DVD ? Tu pourrais me le prêter ?

– Bien sûr.

– Parfait. Je... si ça ne te dérange pas, je vais passer le chercher.

– Bien sûr. Kimmo... qu'est-ce qu'il y a ? En quoi cette émission est-elle importante ?

– Je ne le sais pas encore. Celui qui était avec Patrik chez Hämäläinen...

– Le fabricant de mannequins ? Mäkelä ?

– Oui. Patrik et lui étaient-ils en contact ? Ils étaient amis ?

– Non. Ils se sont vus au talk-show pour la première fois. Je ne crois pas que Patrik l'ai revu après. Mais pourquoi ? Est-ce que Mäkelä...

– Il est mort, répondit Joentaa. Il y a un rapport avec Patrik. C'est obligé.

Leena resta silencieuse.

– Je suis chez toi dans une demi-heure, dit Joentaa.

– Oui, fit Leena.

– A tout à l'heure, dit Joentaa avant de raccrocher.

Il appela Grönholm qui, à sa voix, semblait émerger d'un sommeil profond. Il appela Heinonen dont la voix était angoissée.

Il resta un moment devant la porte fermée de sa chambre. Puis il appuya sur la poignée et ouvrit la porte. Larissa était recroquevillée sur elle-même, comme un embryon. Elle avait l'air de dormir profondément.

Joentaa referma la porte et resta un moment indécis, au milieu du salon, une feuille et un stylo à la main. Puis il se ressaisit et écrivit. *Chère Larissa, je dois partir. J'ai hâte de te retrouver ce soir, je pourrais faire un plat de pâtes, si tu veux. A ce soir, Kimmo.* Il resta un moment devant son texte, puis il posa la feuille sur la table. Derrière la vitre, le lac était encore plongé dans l'obscurité mais le ciel était limpide, et Joentaa eut le sentiment que s'annonçait une fois de plus une belle journée ensoleillée.

18

Elle a glissé sur la neige et rétabli l'ordre du monde. La rue était large et vide. L'homme parut surpris, il resta complètement silencieux quand elle baissa les yeux vers lui.

19

Patrik Laukkanen riait. Joentaa pensa qu'il ne l'avait jamais vu aussi heureux et il essaya de se concentrer sur les paroles qu'ils échangeaient, mais il avait du mal parce qu'il ne pouvait détacher son regard de Laukkanen qui riait, jusqu'à ce que l'image se brouille devant ses yeux.

Harri Mäkelä expliquait comment il créait des cadavres à partir de masses informes, l'animateur, Hämäläinen, hochait la tête et posait de temps en temps une question tandis que Patrik Laukkanen riait. Riait, riait, puis il expliqua quelque chose, félicita Mäkelä pour son mannequin parce qu'il avait tenu compte d'une certaine particularité anatomique en le fabricant. Et il se remit à rire, et Mäkelä avec lui, Hämäläinen eut un sourire en coin et le public applaudit, puis un humoriste entra en scène en gesticulant et se mit à imiter des voix connues.

Sundström coupa le son. Les images scintillaient sans bruit. Tous gardaient le silence. Sundström et Tuomas Heinonen étaient assis sur des chaises devant le téléviseur, Petri Grönholm sur le bord de la longue table étroite qui dominait la salle de réunion. Joentaa était accroupi devant le téléviseur. Il avait mis le

DVD et n'avait plus bougé depuis le moment où Hämäläinen avait fait entrer ses invités Harri Mäkelä et Patrik Laukkanen sur le plateau, près de mannequins allongés sur des civières et recouverts de draps bleus.

– Oui... soupira Sundström au bout d'un moment.

L'humoriste sur l'écran gesticulait toujours, mais soudain il prit un air grave. Il semblait parler d'un sujet sérieux, Hämäläinen acquiesçait de temps en temps, le regard attentif.

L'humoriste est triste et la mort est une plaisanterie, pensa vaguement Joentaa.

– Ça nous avance à quoi ? demanda Sundström, rompant le silence.

Personne ne répondit. Tuomas Heinonen était pâle et gardait les yeux rivés sur l'écran. Trois partout, pensa Joentaa.

– Patrik était bon, dit Grönholm. C'est tout ce que j'ai remarqué.

Sundström fit un signe d'approbation.

– Il était vraiment bon, dit Grönholm. Ce qu'il a dit était fondé et intéressant. Et drôle.

Sundström approuva.

– J'ai toujours cru que Patrik n'avait pas d'humour, dit Grönholm.

– Oui, fit Sundström.

– Quant au fabricant de mannequins, c'était un connard, déclara Heinonen.

Tous se tournèrent vers lui.

– Je suis désolé, ajouta Heinonen, mais ça m'a énervé, cette façon de se mettre en avant parce qu'il fabrique des cadavres pour la télé.

La tête de l'humoriste tressautait et Joentaa se demanda si cela faisait partie de son numéro ou de la réalité. Peut-être les deux. Peut-être était-il tellement imprégné de son rôle que la réalité et l'illusion étaient devenues une seule et même chose. Avec ces tics, l'humoriste racontait quelque chose de grave qui avait trait à sa vie.

Des cadavres pour la télé... pensa Joentaa, et il pensa à ce qu'avait dit Larissa.

Harri Mäkelä et Patrik Laukkanen étaient toujours présents sur l'écran. Mäkelä semblait accorder peu d'intérêt aux histoires de l'humoriste, il gardait les yeux baissés, l'air perdu dans ses pensées, et ne changeait d'expression que lorsque la caméra était dirigée sur lui. Patrik Laukkanen avait l'air d'écouter l'humoriste avec attention. L'animateur, Hämäläinen, était assis derrière son bureau, droit et immobile, le corps tourné vers son interlocuteur, avec toujours la même expression sur le visage qui semblait dire qu'il comprendrait tout. Peu importe ce qui allait venir.

Hämäläinen... pensa vaguement Joentaa.

Réalité et illusion.

– Je voudrais le revoir, déclara Joentaa.

– Pardon ? demanda Sundström.

– Pas maintenant. Si vous n'avez rien contre, je vais emporter le DVD.

– Pas de problème, dit Sundström.

– Et il faut qu'on réfléchisse à propos de Hämäläinen.

– Hämäläinen ?

– Trois hommes ont participé au talk-show. Deux sont morts, le troisième est Hämäläinen.

Sundström resta un moment silencieux.

– Je vois ce que tu veux dire. Le problème, c'est qu'au vu de ce talk-show il me paraît impossible de découvrir un mobile de crime. Ça ne tient pas. Sauf à considérer que le meurtrier est quelqu'un qui tue des gens parce qu'ils passent à la télé.

– Ça ferait du monde à protéger, fit remarquer Grönholm.

– Je plaisantais, Petri. Ironie, dit Sundström.

Ironie... pensa Joentaa.

– Bien sûr que nous devons en parler avec Hämäläinen, dit Sundström. Je suis déjà convenu avec les collègues d'Helsinki que nous serions présents à cet entretien. De là à envisager une protection policière... pour le moment, ça me paraît excessif.

Joentaa acquiesça.

– L'urgent, c'est de comprendre ce qui se passe dans cette histoire, dit Sundström.

Sur l'écran, l'humoriste racontait quelque chose de grave qui avait trait à sa vie.

Les morts allongés sur des civières sous les draps bleus n'avaient jamais vécu.

Et Patrik Laukkanen, qui ne vivait plus, portait un verre d'eau à sa bouche.

20

Joentaa roulait avec Sundström vers Helsinki. Les routes étaient larges et désertes, bientôt le soleil hivernal disparut derrière des nuages gris et il se mit à neiger.

Assis dans le bureau de Westerberg, ils échangeaient leurs informations. Kimmo Joentaa ne pouvait se sortir l'image de la tête, l'image d'un Laukkanen souriant, qui portait un verre d'eau à sa bouche.

Sundström n'avait pas exagéré. En leur exposant les résultats de l'enquête, Marko Westerberg avait vraiment l'air vraiment très fatigué.

Ils se rendirent à l'adresse où Harri Mäkelä avait vécu, devant la porte où il était mort. Une maison en bois bleu ciel, inhabituellement vaste. Des policiers en combinaisons blanches relevaient les empreintes. Des voisins et des badauds se pressaient derrière les rubans de sécurité. Dans le salon, un jeune homme maigre était assis sur le canapé. Il avait la tête baissée et les yeux fermés.

– Monsieur Vaasara ? demanda Westerberg de sa voix triste et traînante.

L'homme leva les yeux.

– Ce sont des collègues de Turku. Paavo Sundström et Kimmo Joentaa.

L'homme hocha la tête.

– Nuutti Vaasara, dit Westerberg. C'est... Il vivait ici avec Harri Mäkelä... et... ils travaillaient aussi ensemble.

En disant cela, Westerberg avait l'air particulièrement las.

Le jeune homme fit un signe de tête auquel Sundström et Joentaa répondirent.

– J'aimerais bien en savoir plus sur votre travail, dit Joentaa.

Le jeune homme le regarda un moment en silence et Joentaa se demanda s'il avait compris. Il allait répéter quand Vaasara déclara :

– L'atelier est à l'arrière de la maison.

– Je pourrais le voir ? demanda Joentaa.

– Certainement, répondit Vaasara en se levant.

Il était grand et se mouvait avec aisance. Joentaa, Sundström et Westerberg suivirent Vaasara le long d'un grand couloir et pénétrèrent dans un univers qui n'avait rien à voir avec le reste de la maison, aménagé avec chaleur et élégance. Vaasara ouvrit la porte et fit passer Joentaa dans la grande pièce blanche. Au milieu de la pièce, sur la grande table en bois massif, étaient posés des récipients, des bombes aérosol et un seau de peinture. Joentaa s'approcha de la table et aperçut du coin de l'œil des êtres humains assis contre le mur. Des têtes pendantes. Un clown jaune et rouge qui tranchait avec le blanc dominant dans la pièce. Dans les bras du clown, il y avait un cadavre.

Un humoriste raconte quelque chose de grave qui a trait à sa vie, pensa-t-il.

Joentaa resta immobile et Vaasara dit :

– Voici... notre atelier.

Joentaa hocha la tête, sortit de sa torpeur et se dirigea vers la table. Examina les récipients.

– Silicone, latex, expliqua Vaasara. Silicone, latex, plastique, ce sont les matériaux de base pour la fabrication.

Joentaa acquiesça. Il jeta un coup d'œil aux mannequins et eut un pincement au cœur. Au cœur et derrière le front. Il sentait une pensée qui cherchait à affleurer.

– Je suis l'assistant. L'artiste, c'est Harri, dit Vaasara.

Joentaa acquiesça. Avec la meilleure volonté du monde, avait dit Sundström. Sundström s'était approché lui aussi de la table, il posa à Vaasara une question que Joentaa n'entendit pas parce que la pensée affleurait, une pensée qu'il ne pouvait pas encore saisir. Westerberg était resté sur le pas de la porte, avec son air triste.

– Ça va ? demanda Sundström.

Les mots l'atteignaient par vagues.

– Bien sûr, dit Joentaa.

La pensée, c'était Sanna. Le moment où l'infirmière de nuit avait allumé la lumière. Une lumière jaune, vive, comme ici, dans cette pièce. Les mêmes murs blancs. Il avait vu le visage de Sanna, il n'avait pas compris ce qu'il voyait. Pas compris. Toujours pas. Aujourd'hui encore. Il sortit.

– Kimmo ? entendit-il Sundström dire.

Le mot arriva par vagues. Kimmo. Kimmo. Kimmo.

Kimmo, avait-il répondu quand Sanna lui avait demandé qui il était et comment il s'appelait. Quand elle ne le reconnaissait plus, que le monde dans lequel ils avaient vécu ensemble lui échappait, faisant place à un nouveau qu'il ne comprenait pas. L'avait-il vue galoper sur son cheval, avait demandé Sanna, il avait fait signe que oui et Sanna avait souri, pour la dernière fois.

Il traversa le couloir et revint au salon. Il faisait chaud. Il s'assit sur le canapé où auparavant Vaasara était assis. Il baissait la tête, comme Vaasara lorsqu'ils étaient arrivés.

– Ça va, Kimmo? demanda Sundström dans son dos.

– Ça va aller, dit Joentaa. Il ferma les yeux et s'appliqua à respirer calmement.

– Ce ne sont que... des mannequins, dit Vaasara.

Sundström eut un petit rire.

– Merci. Nous n'y aurions pas pensé, dit Westerberg, dans l'embrasure de la porte, fatigué.

21

La salle de réunion était sombre et plus petite qu'à Turku. On délimita la tâche et le champ d'intervention de chacun. Des agents furent détachés afin d'assurer la circulation des informations entre Turku et Helsinki. Deux villes, une enquête pour meurtre. Sundström et Westerberg convinrent de se téléphoner à heure fixe deux fois par jour pour se communiquer les principaux résultats de l'enquête.

Un médecin légiste les informa qu'on pouvait conclure d'une première analyse que l'arme du crime était probablement la même.

Probablement la même, pensa Joentaa.

– Comme vous le savez, de l'étude des bords de la plaie et de la trajectoire de la lame on peut déduire la nature de l'instrument utilisé, mais ce n'est pas une science exacte, dit le médecin légiste.

– La probabilité nous suffit, dit Sundström.

– Une lame petite, mais acérée, précisa le médecin légiste. Sans doute un couteau banal, un de ceux qui sont commercialisés en grande quantité.

Sundström et Westerberg hochèrent la tête

Joentaa n'écoutait guère ce qu'ils disaient. Il pensait à Sanna, au visage de Sanna derrière lequel la vie s'était arrêtée. La compassion routinière de l'infirmière de nuit. Le retour à la maison. Le ponton, le lac dans l'obscurité. Le froid de l'eau le long de ses jambes au moment où la douleur l'avait envahi.

Un des enquêteurs d'Helsinki parlait de Harri Mäkelä. Il parlait d'une voix saccadée, élevant ou baissant le ton avec une régularité artificielle. Mäkelä était le meilleur. Il avait réalisé des mannequins non seulement pour des productions finlandaises mais aussi pour le cinéma américain, il avait même créé le sosie d'un lauréat aux oscars qui, dans un film, avait combattu un robot qui lui ressemblait. Joentaa se demanda quelle pouvait être l'idée de départ de ce film et l'agent dit :

– Un habitué des médias. Auteur de livres depuis peu. Une sorte de… semi-célébrité, du moins ici à Helsinski.

Tous gardèrent le silence.

– Bien… fit Sundström.

– C'est à peu près tout ce qu'on a pu apprendre pour le moment, dit l'agent comme pour s'excuser.

Puis ils suivirent de nouveau le couloir et se retrouvèrent sous la neige. Ils se rendirent aux studios de la chaîne qui produisait le talk-show à succès de Kai-Petteri Hämäläinen. Un grand immeuble élevé, essentiellement en verre, entouré d'un vaste parc. Tandis qu'ils marchaient vers le bâtiment, Joentaa aperçut les petits bonshommes derrière les vitres transparentes et se demanda si les producteurs de l'émission exhibaient délibérément leurs collaborateurs sur cette sorte d'écran géant.

Les portiers se mirent au garde-à-vous quand Westerberg sortit sa carte de police, la rédactrice du talk-show *Hämäläinen* les reçut au douzième étage, visiblement de bonne humeur. Kai-Petteri Hämäläinen arriva un peu plus tard. Il portait une veste noire et un jean, ses vêtements reflétaient le mélange de sérieux et de proximité avec le public qui lui valait sans doute une partie de son succès. Joentaa contempla le visage le plus célèbre de Finlande et se demanda ce qu'il lui trouvait de si agaçant.

– Bonjour, dit Hämäläinen en tendant la main à Sundström, Westerberg et Joentaa.

– Il s'assit, croisa les jambes et leur adressa un regard sympathique et curieux.

Hämäläinen joue Hämäläinen, pensa Joentaa, et le visage de Hämäläinen s'assombrit quand Westerberg lui expliqua la raison de leur présence. Harri Mäkelä, retrouvé mort, devant chez lui.

– C'est… affreux, dit Hämäläinen.

– Et il y a encore pire, dit Sundström.

Hämäläinen se tourna vers lui et attendit.

– Patrik Laukkanen.

Hämäläinen fronça les sourcils et sembla réfléchir.

– N'est-ce pas… le médecin légiste qui a participé à l'émission avec Mäkelä ?

– Exact, répondit Sundström.

Hämäläinen attendit.

– Laukkanen a aussi été retrouvé mort, déclara Sundström.

– Mon Dieu ! s'exclama la rédactrice de *Hämäläinen*.

– C'est... affreux, répéta Hämäläinen, et pour la première fois il eut l'air vraiment troublé.

– Le seul lien que nous ayons pu établir jusque-là entre les deux, c'est votre émission. Leur participation commune à votre émission, dit Sundström.

Hämäläinen resta un moment silencieux.

– Je comprends, finit-il par dire.

– Pour autant que nous sachions, Mäkelä et Laukkanen se sont rencontrés pour la première fois dans votre émission. Avez-vous une idée du rapport qu'il peut y avoir entre eux, hormis leur présence à l'émission ? demanda Sundström.

Hämäläinen secoua la tête, l'air pensif.

– Il n'y a rien eu qui vous ait marqué ?

– C'était une bonne émission, de bons échanges, nous avons eu un bon...

Il s'interrompit. Nous avons eu un bon Audimat, supposa Joentaa.

– L'entretien s'est très bien passé, ils étaient sympathiques tous les deux et passaient bien à l'écran. De bons invités, dit Hämäläinen.

Sundström hocha la tête.

– Nous avons eu une idée, dont nous avons discuté au sein de notre équipe, et dont nous souhaiterions vous entretenir... déclara Westerberg, confus et extrêmement fatigué.

– Et de quoi s'agit-il ? demanda la rédactrice de *Hämäläinen* comme le silence durait. Kai-Petteri Hämäläinen regardait à travers les baies vitrées qui les entouraient.

– Avez-vous des... gardes du corps ? demanda Westerberg.

Hämäläinen n'eut pas l'air de comprendre ce qu'il voulait dire.

– Est-ce que vous jouissez d'une protection particulière ? Des gardes du corps... précisa Westerberg.

– Non, répondit Hämäläinen. Non, je ne suis pas un... je mène une vie tout à fait normale.

Westerberg hocha la tête et Joentaa pensa à une interview avec Hämäläinen qu'il avait lue quelques semaines plus tôt et qui revenait toujours à cette idée. Une vie tout à fait normale, une star que l'on pouvait aborder. S'il se souvenait bien, Hämäläinen était père de deux filles. Des jumelles. Comme Tuomas Heinonen.

– Pourquoi cette question ? demanda la rédactrice de *Hämäläinen*. Vous ne croyez pas que Kai-Petteri...

– Très franchement, pour le moment, nous sommes dépassés par les événements, répondit Sundström. Ça arrive. Nous ne savons rien et nous ne comprenons rien. Nous prenons acte de ce qui se passe, c'est tout.

Tous gardèrent le silence jusqu'à ce que Hämäläinen se lève soudain et déclare, d'une voix anormalement forte :

– Il n'en est pas question.

– Pardon ? demanda Sundström.

– Il n'en est pas question. Je suis désolé pour ce qui est arrivé mais je ne les connaissais pas particulièrement, ni l'un ni l'autre. Je les ai rencontrés une seule fois, et c'était pendant l'interview. Je ne peux pas vous aider et je n'ai pas besoin de protection policière ni rien de ce genre. Je vous prie de m'excuser.

Il tendit la main à Sundström, à Westerberg et à Joentaa, fit un signe de tête à sa rédactrice et sortit de la pièce.

– Ça n'a pas traîné, dit Westerberg de sa voix lente.

La rédactrice les conduisit à travers les couloirs très éclairés du bloc de verre jusqu'à l'ascenseur et répéta combien elle était bouleversée avant que les portes automatiques ne se referment. Les portiers se remirent au garde-à-vous, le vaste parc était plongé dans la pénombre du crépuscule au milieu de tourbillons de neige.

Ils rentrèrent en silence et Kimmo Joentaa pensa à Kai-Petteri Hämäläinen qui jouait son propre rôle. Un rôle qu'il s'agissait de tenir toute la journée. Un homme qui était vrai sur l'écran et une copie dans la réalité.

L'humoriste triste imitait des voix, le présentateur s'imitait lui-même.

Joentaa ferma les yeux, essaya de se concentrer sur un point lointain et, soudain, il eut envie de rire de ses pensées saugrenues. Il émit un petit rire et pensa vaguement qu'il fallait qu'il appelle Larissa.

– Kimmo rit, fit remarquer Sundström, et Westerberg acquiesça, sans doute parce qu'il ne comprenait pas ce qu'il y avait de drôle et n'avait pas envie de savoir.

22

En rentrant à Turku, il essaya de joindre Larissa, mais elle n'était pas là.

Bien entendu. Il se demanda pourquoi il ressentait ce besoin impérieux de lui parler.

Il tomba à plusieurs reprises sur son propre répondeur, sur le message standard du fabricant, une voix métallique de femme qui exigeait sèchement qu'on lui laisse un message. La véritable annonce, celle de Sanna, de la voix de Sanna, il l'avait effacée trois ans plus tôt, après sa mort. D'un geste presque machinal dont il se souvenait à peine.

A la quatrième tentative, il ferma les yeux et se mit à parler : « C'est moi, Kimmo. Bonjour. Je... je ne vais pas rentrer de bonne heure, à cause d'Helsinki... je suis allé à Helsinki, pour le boulot, je suis en train de rentrer mais la route est... Il neige beaucoup... je vais mettre un moment. A bientôt... »

Il voulait ajouter quelque chose mais il sentit le regard de Sundström posé sur lui et raccrocha.

– Qu'est-ce que tu bafouilles ? demanda Sundström.

– Quoi ?

– Mais c'était…
– Quoi donc ? demanda Joentaa.
– On dirait qu'il y a une nouvelle femme dans ta vie.

23

Kai-Petteri Hämäläinen regardait le taux d'audience de la veille que Tuula lui avait remis. Son regard s'attarda sur les chiffres et il essaya de se souvenir des invités pour donner un visage aux chiffres.

Il avait la tête vide. Un blackout. Il devait bien être capable de se souvenir des gens avec qui il s'était entretenu la veille. On frappa. Tuula était devant la porte et dit que la jeune fille était là. Il haussa les sourcils, perplexe.

– La fille. La petite amie du tireur fou.

Il acquiesça.

– Tu veux lui parler ? Ou…

– Bien sûr, répondit-il.

Il resta assis sans bouger, Tuula s'arrêta sur le pas de la porte.

– J'arrive, dit-il, j'arrive tout de suite.

Tuula hocha la tête et sortit.

Les invités lui revinrent en mémoire. Ceux de la veille. Évidemment. Le roi du tango. Le roi du tango était entré la veille en collision avec un élan et était mort. La veille, Hämäläinen avait parlé avec sa veuve. D'où les chiffres. Un taux d'audience élevé. Encore plus que d'habitude. La veuve du roi du tango. Et ce soir, il allait encore parler avec une veuve. Si on pouvait parler de veuve, pour la jeune fille. Une faute rédactionnelle. Il ne pouvait pas parler deux soirs de suite avec une veuve. Tuula arriva et annonça que c'était déjà aux infos. Il ne comprit pas.

– Mäkelä. Et l'autre. Aux infos, ils demandent s'ils peuvent passer un extrait de notre émission. J'ai dit oui, bien sûr.

Hämäläinen approuva.

– C'est incroyable, dit Tuula.

– Oui, dit Hämäläinen.

Tuula allait repartir mais il la retint.

– Dis-moi...

Elle attendait devant la porte.

– Qu'est-ce que tu crois qui s'est passé... avec Mäkelä et le... médecin légiste ?

Tuula eut l'air d'attendre qu'il précise sa question.

– Est-ce que ça a quoi que ce soit à voir... avec nous ? demanda-t-il.

– Avec nous ? Qu'est-ce que tu veux dire ?

– Je ne sais pas... ils étaient tous les deux dans l'émission... j'ai parlé avec eux et maintenant...

– Les Maîtres de la vie et la mort, dit Tuula.

– Pardon ?

– Je viens de me souvenir... c'était la bande-annonce qu'on avait choisie pour eux. Les Maîtres de la vie et de la mort.

Hämäläinen garda le silence.

– Tu viens voir la fille ? Je crois qu'elle a besoin d'un peu de réconfort, dit Tuula.

– J'arrive, répondit Hämäläinen.

– L'enregistrement commence dans vingt minutes, dit Tuula.

24

Glisser sur la neige.

Rétablir l'ordre du monde.

Dormir. Rêver. Se réveiller.

Le soir, elle va voir Rauna. Les enfants mangent dans la grande salle à manger bien éclairée, elle est assise un peu à l'écart et les regarde manger. Pellervo Halonen, le directeur du centre, vient s'asseoir près d'elle en souriant. Il lui demande comment elle va.

– Bien, dit-elle. Ça va mieux.

Rauna mange de bon appétit et les regarde en riant.

– Rauna est toujours contente quand vous venez. Chaque fois, ça fait plaisir à voir, dit Pellervo Halonen.

Elle acquiesce.

– J'espère vraiment que vous pourrez aider Rauna quand... quand elle va comprendre ce qui s'est passé. Quand elle va devoir... affronter tout ça.

Elle réfléchit un moment à ce qu'il vient de dire.

– J'espère aussi, dit-elle enfin.

Pellervo Halonen se lève et s'éloigne, elle le suit des yeux. Il est particulièrement jeune, plus jeune que la plupart de ses employés. Il se tient toujours droit en marchant, toujours tourné vers la vie. Ça l'a frappée dès la première visite.

Elle avait eu peur alors de revoir Rauna. Un mélange de peur et d'envie. Elle en a parlé avec le psychologue. Il l'en a dissuadée et, dès le lendemain, elle est partie voir Rauna.

La démarche bien droite de Pellervo Halonen quand il l'a accompagnée à la chambre de Rauna. De cela, elle se souvient. Et du visage lointain de Rauna au moment où leurs regards se sont croisés. Rauna n'a rien dit et pendant un moment, elle a pensé que Rauna ne se souvenait pas d'elle. Puis la peur dans les yeux de Rauna a fait place à une nostalgie. Rauna a couru vers elle, s'est jetée dans ses bras et a ri. Pellervo Halonen a ri. Même elle a ri. Pour la première fois depuis longtemps.

– Je n'ai plus faim. On fait un puzzle ? demande Rauna.

Elle ouvre les yeux et voit Rauna sourire.

Elle fait signe que oui. Rauna part en sautillant et elle la suit dans la salle de jeux. Rauna commence le puzzle de l'arche de Noé. Perdue dans ses pensées, elle pose une pièce après l'autre jusqu'à ce que l'image soit complète.

Rauna lance : « Fini ! » Elle bat dans ses mains et dit que Rauna est la championne du puzzle, et Rauna demande où est le troisième lion.

– Le troisième lion. Le troisième singe. La troisième girafe.

Elle ne sait que répondre et dit que c'est une bonne question.

– Le troisième lion vient plus tard. Et les autres aussi, dit Rauna.

Elle approuve.

– Sur un autre bateau, dit Rauna. En hiver.

Une surveillante apparaît dans l'embrasure de la porte. Le temps de la visite est passé. Elle lit encore une histoire à Rauna pour l'endormir et à la fin, dans son pyjama rose, Rauna est complètement réveillée.

– On va se revoir bientôt ! s'écrie Rauna et, en guise d'adieu, la surveillante lui serre la main en souriant.

25

La maison, blanche dans l'obscurité. Le pommier recouvert de neige. Il gara sa voiture et fit quelques pas en direction de la porte d'entrée. Ouvrit et entra, au milieu du silence. Sur la table du salon, le mot était toujours là. A côté le stylo. Il regarda la feuille, lut les mots qu'il avait écrits le matin et se demanda si Larissa les avait lus. Il détourna les yeux et dirigea son regard vers la porte fermée de la chambre. Il imagina derrière cette porte Larissa allongée sur le lit. Elle s'était endormie et ne se réveillait plus. Ne retrouvait plus le chemin qui ramenait à la surface. L'image grandissait, en quelques enjambées il fut à la porte et l'ouvrit d'un coup. La chambre était vide, le lit était fait. Les couettes et les oreillers étaient disposés exactement comme dans une chambre d'hôtel.

Joentaa referma la porte et resta un moment perplexe. Le petit arbre de Noël se détachait dans l'ombre. Il sortit dans le froid, alla chercher le DVD dans la voiture. La neige crissait sous ses pas. Et il se retrouva assis devant les images brillantes. Patrik Laukkanen riait. Un public invisible suivait. Leena Jauhiainen ne dormait pas. Le bébé dormait. Hämäläinen souleva un drap bleu et on put voir un visage blessé.

– Le contraire d'un enterrement.

Il se retourna.

– C'est ça ce qui m'avait dérangée. Maintenant, je me souviens, dit Larissa.

Elle laissa tomber sa veste blanche de neige par terre et vint vers lui.

– Je ne t'ai pas entendue arriver, dit-il.

Elle s'assit près de lui et le regarda. Il se détourna, regarda les images qui scintillaient, et sentit son regard poser sur lui.

– Tu veux dire quoi ? demanda-t-il.

Elle ne répondit pas.

– Tu veux dire quoi par...

– Le contraire d'un enterrement. On ne pleure pas, on rit, on n'enterre pas les morts, on les exhibe, dit-elle.

Joentaa contempla son visage grave, triste.

Elle le regardait dans les yeux.

Il hocha la tête, attendit. Elle tendit brusquement la main vers lui, il ressentit une douleur cuisante sur sa joue et se laissa tomber. Elle était sur lui. Ses lèvres dans son cou. Elle avait des mouvements réguliers, calmes. Il ferma les yeux et se laissa entraîner. Elle parlait d'une voix qui n'était pas la sienne. En arrière-fond, le public riait. Il s'imaginait que ça ne s'arrêterait jamais. Tomber. Tomber pendant une éternité. Il l'entendit rire, loin. Un tissu doux, frais sur son visage.

– Excuse-moi, dit-elle.

– Hein ?

– Tu saignes. Je t'ai griffé.

– Hum.

– Je vais nettoyer ça. Tu as du désinfectant ?

– Hum...

– C'est pas grave. Je vais me doucher. Tiens.

Il prit le mouchoir qu'elle lui tendait.

– Mets-le sur la plaie. Ce n'est qu'une égratignure, c'est moins grave que ça en a l'air.

Il acquiesça et la regarda se diriger vers la salle de bains. Il était allongé par terre, à côté du canapé. Le bruit de la douche. De l'eau. Un public invisible. Il attrapa la télécommande et baissa le son. Il avait un goût de sang au coin de la bouche.

– Je voudrais te demander quelque chose, dit-il quand elle revint.

– Ça va, toi ? demanda-t-elle.

– Oui, pourquoi ?

– Tu es là, par terre, et le mouchoir que tu tiens sur ta figure est de plus en plus rouge.

– C'est pas grave, dit-il.

Elle s'assit en tailleur près de lui.

– Je voudrais te demander quelque chose, répéta-t-il.

– Je t'en prie, dit-elle.

– C'était quoi, ta plus belle expérience ?

Elle ne répondit pas.

– C'est difficile de répondre ? demanda-t-il.

– Non, dit-elle.

– Alors ?

– Je te mentirais.

– Ah bon ?

– Oui.

Il se leva et chercha son regard.

– Alors, vas-y, lança-t-il.

– Quoi ?

– Je voudrais entendre tes mensonges.

Elle garda le silence.

– Quel âge as-tu ? Comment t'appelles-tu ? demanda-t-il.

– Vingt-deux. Larissa.

– Je voudrais...

– Pour l'âge, on triche un peu, mais pas plus de trois ans.

Puis elle se leva.

– Attends de ne plus saigner avant de venir, j'ai changé les draps, dit-elle en s'éloignant. Elle ouvrit la porte de la chambre et la referma presque sans bruit.

26

Kai-Petteri Hämäläinen contempla Kai-Petteri Hämäläinen et se sentit déjà mieux.

– Ça vient juste de commencer, dit Irene. Elle l'embrassa sur la joue, se rassit sur le canapé et continua à regarder son mari sur l'écran de télévision.

– Il y avait bien cette fille chez vous aujourd'hui ? demanda-t-elle.

– Oui, la copine du tueur fou, répondit Hämäläinen.

Il alla dans la salle de bains, se lava les mains et se passa un peu d'eau sur le visage. Puis il revint au salon, s'assit près d'Irene et passa son bras autour de ses épaules.

– Comment ça s'est passé ? demanda Irene.

– Bien, répondit Hämäläinen.

Sur l'écran, la fille baissait la tête, s'efforçant de mettre des mots sur l'indicible.

Ça s'était vraiment bien passé.

Il s'était ressaisi. Il s'était assis sur une chaise, avait regardé son visage dans le miroir, des pensées difficiles à saisir l'avaient traversé, et Tuula était arrivée et lui avait répété que le temps pressait, l'enregistrement allait commencer et la fille avait l'air taciturne et intimidée. Il avait hoché la tête, s'était levé et avait eu un entretien avec la fille. Il avait parlé, la fille avait écouté. Sa voix emplissait l'espace, la fille avait acquiescé et il avait senti sa force lui revenir. Quand l'enregistrement avait commencé, il avait ressenti encore un léger vertige mais il ne se rappelait plus ce qui l'avait inquiété.

Les Maîtres de la vie et de la mort, avait-il pensé, et la fille lui avait parlé de son ami, un élève modèle, doux et affectueux qui avait tué trois personnes avant de mettre fin à ses jours. Il avait fait signe qu'il comprenait et, après chaque réponse de la fille, il avait su enchaîner une question. De concert avec elle, il s'était noyé dans un flot de paroles. Ses paroles à lui, celles de la fille. Un flot ininterrompu.

La fille était concentrée, pas intimidée. Tuula s'était trompée et, de toute façon, Hämäläinen avait tendance à douter de la clairvoyance de Tuula. Comment avait-elle pu avoir l'idée de faire parler des femmes de leurs compagnons morts deux soirs de suite ? La veuve du roi du tango, la petite amie du tueur fou.

Les yeux rivés sur l'écran, il sentit la main d'Irene sur son cou. Ses caresses lui donnèrent la chair de poule. Il ferma les yeux et entendit la voix de la fille qui venait du téléviseur.

– Je ne l'oublierai pas, disait-elle, il est toujours près de moi.

Sa propre voix, qui posait une question. Calme, sûre, chaude et compréhensive, et cependant sceptique et pressante. Les Maîtres de la vie et de la mort, avait dit Tuula. Il y avait dans cette phrase quelque chose qui ne lui sortait plus de la tête.

– La seule chose que je ne peux pas lui pardonner, c'est de m'en avoir jamais parlé, disait la fille. Puis une autre voix. Légèrement enrouée. Le psychologue, qui était assis parmi le public, était censé intervenir de temps en temps avec des arguments relevant de sa compétence. Puis il entendit de nouveau sa voix poser une question. Une question qui resta en suspens dans la pièce.

– Si je l'avais su, je l'en aurais empêché. J'aurais pu, disait la fille.

Un moment de silence.

– J'aurais pu l'en empêcher, répéta la fille.

La main d'Irene sur son cou. Hämäläinen ouvrit les yeux. Se vit sur l'écran hocher la tête d'un air pensif. Applaudissements soutenus.

– Bon, dit Irene, d'une voix bizarre, éteinte.

– Qu'est-ce que tu dis ? demanda-t-il.

– Bon. Tu as été bon aujourd'hui, répondit Irene.

Irene lui caressa le cou et il se sentit fatigué.

– Comment vont les koboldes ? demanda-t-il.

– Bien, répondit Irene.

– Quand se sont-elles endormies ?

– Tard. Peu avant que tu rentres.

Il hocha la tête.

– Ce week-end, Lotta a eu sa première compétition avec l'équipe de ski de fond. Elle était assez excitée et, évidemment, Minna n'avait pas non plus envie de dormir.

Il hocha la tête.

– C'est affreux, dit-elle et il dit : « En espérant vous retrouver aussi fidèles », mais c'était sur l'écran.

Le générique défila et Irene répéta :

– Affreux.

– Quoi.

– La fille. Elle avait l'air tellement... concentrée. Vous aviez l'air tous les deux concentrés.

Il hocha la tête.

– Je ne t'ai jamais vu aussi concentré que dans cette émission, dit-elle.

– Merci, répondit-il.

– C'était il y a à peine quinze jours et déjà, plus personne n'en parle. On ne sait pratiquement plus combien de personnes ce garçon a tuées.

– Trois, dit Hämäläinen. Et il en a blessé cinq. Tu as raison, on était... Il avala la phrase. On n'était pas très actuel, avait-il voulu dire. Ça n'avait pas été facile, il avait d'abord essayé d'inviter les parents du tueur fou ou des proches des victimes, et ses efforts s'étant révélés vains, il s'était rabattu sur la petite amie du garçon. Pas très actuel mais à la hauteur de l'événement. La fille avait été une bonne invitée.

Irene lui caressait le cou, le dos. Les enfants dormaient.

– Espérons que la fille arrive à s'en remettre un jour et que sa vie continue, dit Irene.

28 décembre

27

Le matin, Sundström donna une conférence de presse devant un nombreux public. Tuomas Heinonen était pâle, il avait les yeux rivés sur son ordinateur et Petri Grönholm lui posa une question qui l'agaça.

– Qui est-ce, cet Ari Pekka Sorajärvi ?

Joentaa le regarda d'un air perplexe. Ari Pekka... Les noms n'ont pas d'importance, pensa-t-il vaguement. Grönholm brandit une carte en disant :

– Ari Pekka Sorajärvi. J'ai trouvé son permis de conduire par terre sous ton bureau.

– Oh, fit Joentaa.

– Ça a une importance quelconque ?

– Non, mais merci quand même, dit Joentaa en prenant le permis. Un visage rond, un regard sûr de lui. Joentaa imagina la tête de l'homme avec un plâtre sur le nez.

– Rien d'important, répéta-t-il.

Ils descendirent dans la grande salle où avait lieu la conférence de presse. Heinonen ne réagit pas quand Grönholm lui demanda s'il voulait venir. Il resta scotché sur l'écran de son ordinateur. Grönholm haussa un sourcil et Kimmo Joentaa se demanda quelles manifestations sportives avaient lieu de si bonne heure.

C'était Nurmela, le commissaire principal, qui animait la conférence de presse. Il y avait du monde. La mort de Laukkanen avait fait du bruit à Turku, celle de Mäkelä dans toute la Finlande car Mäkelä était quand même, comme l'avait si bien formulé le collègue d'Helsinki, une semi-célébrité.

De même, on avait déjà fait le rapport avec la présence commune des deux hommes dans le talk-show de Hämäläinen. Un journaliste d'*Illansanomat*, un grand journal populaire, demanda comment on interprétait ce rapport et Sundström répondit avec la franchise désarmante qui lui était propre qu'il n'en avait aucune idée. Surpris, les journalistes se turent et Sundström ajouta :

– Nous sommes au début de l'enquête. Nous supposons que les deux victimes sont restées en contact après leur participation à cette émission et qu'on doit pouvoir déduire le mobile du crime de ce contact mais nous ne le connaissons pas encore.

Sundström répondit aux questions suivantes avec une placidité objective. Joentaa pensait à Heinonen et ne remarqua qu'accessoirement que personne ne posait les questions qui commençaient à se préciser dans sa tête. Sans qu'il puisse encore les formuler clairement. Le contraire d'un enterrement, avait dit Larissa. Quelque chose l'avait gênée. Petri Grönholm et Tuomas Heinonen en revanche avaient trouvé l'interview instructive et amusante. Sundström était resté froid et indifférent, Patrik Laukkanen avait été content, et Kai-Petteri Hämäläinen avait dit que c'étaient de bons invités.

Sundström prit congé et quitta le podium. Les journalistes se levèrent et se précipitèrent vers la sortie. Certains avaient l'air sérieux, ils semblaient déjà réfléchir à la manière d'écrire leurs articles. D'autres riaient discrètement. Où allons-nous, si maintenant, les pilleurs et les fabricants de cadavres n'avaient même plus le droit de vivre, lança le journaliste d'*Illansanomat*.

Il monta au premier. Tuomas Heinonen était devant son ordinateur. Apparemment, il n'avait pas bougé depuis que Kimmo et Petri Grönholm avaient quitté le bureau.

– Tuomas ?

Heinonen leva les yeux de l'écran.

– Ça va ? demanda Joentaa.

– Oui, bien sûr, répondit Heinonen.

Joentaa resta un instant sur le pas de la porte, hésitant, puis il se décida et s'approcha du bureau de Heinonen. Sur l'écran, il aperçut sous le logo fringant d'un site de parieurs une longue liste de résultats. A côté de Heinonen, il y avait un carnet couvert de croix et de chiffres. Probablement des combinaisons de paris, des pronostics que Tuomas Heinonen était le seul à comprendre.

– Je voudrais te parler, dit Kimmo Joentaa.

Heinonen leva les yeux et esquissa un sourire.

– A propos du jeu, ajouta Joentaa.

Heinonen hocha la tête.

– Ce qui s'est passé : tu as perdu, le match Manchester-Arsenal s'est conclu par un match nul, donc tu as perdu. Donc, c'est fini.

Heinonen hocha la tête.

– Je crois qu'il faut absolument que tu arrêtes, et tout de suite, dit Joentaa.

– Oui, répondit Heinonen.

– Mais tu continues.

– Bien sûr, dit Heinonen.

Joentaa resta un moment silencieux.

– Les mises s'élèvent à combien ? demanda-t-il enfin.

– Beaucoup, répondit Heinonen.

– Tu disais que Paulina était au courant...

Heinonen hocha la tête.

– Donc elle va t'empêcher de dilapider votre argent, dit Joentaa.

– Bien sûr, dit Heinonen. Il avait détourné les yeux et regardait l'écran, les couplés, les cotes et les résultats.

– Ça veut dire que tu...

– Paulina a fait en sorte que je ne puisse plus toucher à notre compte commun, dit Heinonen.

– C'est... bien.

– C'est moi qui le lui ai proposé. Je lui ai fait une procuration exclusive, dit Heinonen. Paulina m'en a su gré, depuis, ça va mieux entre nous.

Joentaa hocha la tête.

– C'est...

– Mes parents m'ont légué un trois-pièces. A Hämeenlinna. Assez bien placé. Récemment, je l'ai vendu. J'ai déjà perdu la moitié de l'argent, le reste se trouve entre deux couvertures de livres dans mon bureau.

Joentaa ne dit rien. Il essayait de penser en chiffres. Trois pièces. Hämeenlinna. La moitié dilapidée. Heinonen sembla lire ses pensées.

– Tu veux connaître les chiffres ? demanda-t-il.

Joentaa attendit.

– 73 457 euros.

Joentaa hocha la tête.

– C'est le chiffre exact. J'ai tenu une comptabilité précise. Ça t'intéresse de savoir qu'au début j'ai gagné ? Mon tout premier jeu. Wigan-Chelsea. Des cotes faramineuses. Chelsea avec l'équipe de série B, parce que ce n'était que la Coupe d'Angleterre, et tout un tas d'autres matchs. Combo triple avec deux favoris gagnants, facteur 22, soit 22 400 euros pour mille, tu comprends ?

Joentaa hocha la tête, mais il ne comprenait pas.

– Ça avait vraiment bien commencé, dit Heinonen.

Joentaa pensa à Sanna et à son sourire forcé quand il avait perdu l'argent des vacances. Un sentiment d'impuissance, d'échec, et puis un sentiment de soulagement, parce qu'elle avait compris que ce n'était pas important. Parce qu'il y avait plus important.

Heinonen balaya du regard les séries de chiffres dans son carnet.

– Il faut que tu arrêtes ça, dit Joentaa.

– Bien sûr, fit Heinonen sans relever la tête.

28

Kai-Petteri Hämäläinen se réveilla avec le sentiment d'émerger d'un sommeil dépourvu de rêves. Il descendit l'escalier et entendit aussitôt les voix claires de Lotta et Minna. Elles étaient assises à table et se bourraient de corn-flakes. Derrière elles, Irene souriait.

Il se doucha, se rasa, s'habilla et embrassa Irene sur la joue avant de s'en aller affronter la nouvelle journée. Le bloc de verre dans la lumière claire hivernale. Il prit l'ascenseur et monta au onzième. Tuula vint au-devant de lui dans le large couloir gris et bleu, elle arborait un grand sourire et lui lança qu'ils avaient cartonné avec le roi du tango.

Collision avec un élan, pensa-t-il. Putain de malchance. Putain de malchance absurde.

– Quarante pour cent, dit Tuula. La fille, c'était un sacré coup.

Il hocha la tête.

– Le meilleur Audimat depuis Niskanen, ajouta Tuula.

Il hocha la tête. Niskanen, le skieur de fond finlandais qui avait disparu dans la forêt enneigée avant de réapparaître sur l'écran. Avec un ski cassé à deux endroits sous le bras. Putain de malchance, absurde. Double fracture de ski dans une compétition pour le titre de champion du monde. Trois jours plus tard, Niskanen avait été convaincu de dopage et avait déclaré, d'une voix neutre et curieusement atone, qu'il avait lui-même cassé son ski dans la forêt, à l'endroit où le réseau des caméras de télévision comportait une faille. Pour être exclu de la compétition et ne pas avoir à se soumettre à un contrôle antidopage. Mais l'analyse du contrôle qui avait déjà été effectué en amont du championnat avait accablé Niskanen.

Après quoi la présence du meilleur skieur de fond finlandais chez *Hämäläinen* avait été suivie à la télévision par un Finlandais sur deux. Hämäläinen ne se souvenait plus du contenu de l'entretien, il savait seulement qu'il avait trouvé le mutisme partiel et les hésitations de Niskanen insupportables. Ils avaient eu de bonnes critiques. On lui avait su gré de n'avoir pas donné à Niskanen l'occasion de se trouver des excuses. Il s'était montré à la fois dur et rigoureusement objectif avec le héros déchu. Un peu comme un juge pénal, avait dit Irene le soir, il s'était douté qu'elle avait raison mais ne l'avait pas admis et n'avait pas relevé sa remarque.

– Tu as été bon, dit Tuula.

Il hocha la tête.

– Il y avait longtemps que tu n'avais pas été aussi bon.

– Je te remercie, dit-il en entrant dans son bureau, un bloc de verre dans un bloc de verre. Au-dessus de lui, il y avait le ciel bleu hivernal, au-dessous, des petits bonshommes qui grouillaient dans des rues miniatures. Il les regarda un moment et pensa à Niskanen. Qu'était-il devenu ? Vivait-il toujours dans la belle maison que lui avait offerte l'Etat finlandais en échange de ses performances sportives exceptionnelles ? A moins qu'on ne la lui ait reprise après qu'il avait été convaincu de dopage ? Il ne se souvenait pas. Il savait seulement qu'il y avait eu un débat public sur ce sujet et que, dans la conversation qu'il avait eue avec Niskanen, la question avait joué un rôle important. S'il se souvenait bien, il avait suggéré à Niskanen de rendre la maison. Il avait posé une série de questions suggestives et une série de questions rhétoriques et il se rappelait la sueur qui perlait sur le front de Niskanen. Une assistante avait dû intervenir plusieurs fois pour lui essuyer le visage. Il ressentit un vague désir de savoir ce qu'était devenu Niskanen. Où il vivait. Comment il vivait.

Il s'éloigna de la baie et sortit de la pièce. Il traversa le couloir du grand bureau pour aller prendre l'ascenseur. A sa gauche et à sa droite, des collaborateurs étaient assis devant des ordinateurs qui ronronnaient. Il descendit. La cafétéria était presque vide, comme toujours à cette heure-ci, avant midi. Il prit un grand café au lait et s'assit à une des tables. Un peu plus loin, deux jeunes rédactrices des infos riaient comme des folles. Hormis leur rire, il n'y avait pratiquement aucun bruit.

Dehors, le parc était sous la neige. Il contempla le dessus de la table claire, d'une propreté irréprochable, et versa un peu de sucre dans le gobelet. Il but. Niskanen. Niskanen faisait-il encore du ski de fond ? Dans les forêts enneigées.

Derrière lui, les jeunes rédactrices pouffaient et chuchotaient. Au bout d'un moment, il se demanda si ce n'était pas de lui qu'elles riaient. Sans doute pas. Au contraire, elles devaient chercher à attirer son attention. Il se tourna vers elles et leur sourit. Leurs visages se figèrent dans une expression de respect.

Il vida son gobelet et se leva. Il pensa au médecin légiste, essaya de se rappeler son nom, sans arriver à le retrouver. Les policiers l'avaient prononcé. Dans l'entretien qui avait précédé l'interview, le médecin légiste n'avait-il pas dit qu'il allait bientôt être père ? Si, il en était même certain. Les yeux du médecin légiste s'étaient illuminés et durant quelques minutes, ils avaient parlé d'enfants… Et maintenant, le monde ralentissait. Il ne s'immobilisait pas mais il ralentissait de plus en plus. Il aperçut l'ascenseur au loin, derrière les portes le parc, l'hiver puis il sentit une douleur irradier dans son estomac, dans son dos.

Kalle, avait dit le médecin légiste. Son fils s'appellerait Kalle, il allait bientôt venir au monde.

Il eut la sensation de tomber.

Il était allongé par terre.

La douleur se diffusait à travers son corps et, au-dessus de lui, il y avait un ciel en verre.

Il planait.

Puis il distingua les visages des deux rédactrices des infos. Elles étaient mignonnes. Surtout une. Parfois, ce genre de pensée le traversait, qu'il refoulait aussitôt. Qu'il pouvait refouler en une fraction de seconde. Il était père de famille. Un père de famille tout à fait normal. Les visages des femmes étaient au-dessus de lui. Il était allongé. Il ne comprenait pas pourquoi.

Les deux rédactrices semblaient vouloir lui dire quelque chose mais il ne percevait que très vaguement leurs paroles, il traversait un marécage, s'enfonçait. Un pas après l'autre. Les deux femmes semblaient vouloir lui parler. Il hocha la tête. Il hocha la tête pour leur signifier qu'il les comprenait. Elles n'avaient pas besoin d'avoir peur.

Il s'éloignait d'elles. Il entendait de nouvelles voix mais ne comprenait pas ce qu'elles disaient. Il essaya d'écouter. Ecouter et comprendre, c'était ce qu'il savait le mieux faire, mais il n'y parvenait pas. Au-dessus de lui, il voyait le ciel bleu et les arbres enneigés.

Il entendit la voix de Tuula. Sa voix aiguë qui poussa un cri. Distingua son visage au-dessus de lui. Le visage de Tuula et derrière, le ciel bleu. Tuula disait quelque chose qu'il ne comprenait pas. Il hocha la tête.

Il pensa au médecin légiste, pensa qu'il ne se souvenait pas de son nom, mais de celui de son fils. Kalle.

Il hocha la tête, ferma les yeux et vit Niskanen.

Niskanen.

Une légende vivante.

Un ange déchu.

Il vit Niskanen derrière ses yeux fermés. Il avançait dans la forêt enneigée, vigoureusement, la tête baissée, concentré sur l'élégance de ses mouvements, dans un paysage hivernal typique.

29

– Ari Pekka Sorajärvi ? lança Joentaa.

– Qui me demande ? demanda un homme sur le pas de la porte.

– Moi, répondit Joentaa.

L'homme le fixa quelques secondes. Un visage rond. Un regard sûr de lui. En costume cravate. Prêt à partir au bureau. Le nez soigneusement recouvert d'un pansement blanc.

– Et qui êtes-vous ? demanda l'homme.

– Joentaa. Police judiciaire.

L'homme sourit. Légèrement troublé. Plutôt amusé. Manifestement, Joentaa ne correspondait pas à l'image qu'il se faisait d'un policier.

– Vous parlez sérieusement ? demanda Sorajärvi.

– Vous croyez que je frapperais chez vous pour plaisanter ?

– Vous voulez quoi ?

– Tenez, votre permis de conduire, dit Joentaa en lui tendant le permis.

Sorajärvi eut l'ait décontenancé.

– Oh ! fit-il.

– Vous n'aviez pas remarqué ? demanda Joentaa.

– Euh... non. Franchement, non. Mais comment...

– Larissa, répondit Joentaa, et Sorajärvi ouvrit de grands yeux.

– Ah...

– Vous avez de la chance d'avoir le nez cassé, car sinon, je me ferais un plaisir de vous casser la gueule.

Les yeux de Sorajärvi s'ouvrirent encore plus grands et Joentaa se demanda ce qu'il lui prenait de dire des choses pareilles.

– Au revoir, fit-il en se retournant.

Il sentit le regard de Sorajärvi dans son dos. Il était encore sur le seuil de son imposante maison quand Joentaa démarra. De chaque côté de la porte, se dressait un sapin avec des décorations de Noël.

Pendant le trajet, Joentaa se mit à rire, il ne pouvait plus s'arrêter. Son portable sonna. C'était Sundström. Il donnait l'impression d'être très loin. Il parlait d'une voix basse et absente.

– Hämäläinen, dit-il.

– Oui ? demanda Joentaa.

– Poignardé. Dans la cafétéria de la chaîne.

Joentaa sentit un bourdonnement dans sa tête et des larmes de rire sur ses joues.

– Il est en réa. Nous partons pour Helsinki.

– Oui, dit Joentaa.

– A plus tard, dit Sundström avant de raccrocher.

30

Ils roulaient en silence. L'autoroute avait été dégagée. La neige s'entassait de chaque côté de la chaussée. Nurmela, patron de la police de Turku, appela plusieurs fois pour se renseigner sur l'évolution de la situation. Demanda si tout ça était vrai. Et pourquoi on n'avait pas mis Hämäläinen sous protection policière. Comment une chose pareille était-elle possible… Sundström répondait par monosyllabes, il semblait perdu dans ses pensées. Il garda le silence jusqu'à ce qu'ils arrivent à Helsinki et s'arrêtent devant l'hôpital.

– Putain… fit Sundström avant de retomber dans son mutisme.

Devant l'hôpital, des centaines de gens étaient agglutinés derrière le ruban de sécurité. Des voitures de différentes chaînes de télévision et de radio. Le téléphone sonna. La voix nerveuse de Nurmela remplit l'intérieur de la voiture.

– Nous sommes arrivés, dit Sundström.

– Et alors ? demanda Nurmela.

– C'est la panique totale.

– Rappelle-moi dès que tu sauras quelque chose.

Ils descendirent et se frayèrent un chemin à travers la foule. Sundström brandit sa plaque. Un policier en civil leur fit signe de franchir le cordon et les accompagna à l'entrée. Au bout de quelques minutes, Marko Westerberg arriva. Il avait l'air plus fatigué et plus apathique que jamais, ce qui, chez lui, devait être un signe de stress.

– Il va s'en sortir, déclara Westerberg. Les médecins disent qu'il a eu une chance inouïe.

Ils suivirent Westerberg jusqu'aux ascenseurs où ils durent attendre un moment. A l'intérieur régnait un calme qui contrastait avec l'animation du dehors. Ils étaient presque seuls dans le hall, seules quelques blouses blanches passaient de temps à autre. Une femme était assise sur un banc contre un mur jaune, une jambe dans le plâtre, elle feuilletait une revue. A côté d'elle, étaient posées deux béquilles.

– Va-t-il finir par arriver ? demanda Sundström.

Westerberg appuya encore une fois sur le bouton et ils virent la lumière rouge qui annonçait l'arrivée de l'ascenseur. Puis la large porte s'ouvrit. Deux infirmiers sortirent en poussant une civière sur laquelle était allongé un vieil homme qui ressemblait à un squelette. Son regard effleura Joentaa quand ils entrèrent dans l'ascenseur.

Ils montèrent au quatrième. Un policier en civil les attendait devant une porte sur laquelle était écrit en petites lettres blanches RÉANIMATION. Il les salua et leur donna le code. La porte s'ouvrit automatiquement. Derrière semblait régner le chaos. Mais seulement au premier coup d'œil. Joentaa perçut plusieurs conversations en même temps. Les médecins et les infirmières étaient habillés en bleu-vert, leurs gestes étaient vifs et précis, et Joentaa pensa à la dernière nuit à l'hôpital. Au moment où le pouls de Sanna avait cessé de battre. Il entendait les conversations, des voix perplexes se mêlaient à d'autres résolues, des voix anxieuses à d'autres rassurantes. Ils traversèrent le grand couloir blanc, s'arrêtèrent un instant devant une vitre et aperçurent Kai-Petteri Hämäläinen allongé sur un lit. Plusieurs tuyaux lui traversaient le corps, il semblait dormir.

– Une question de centimètres, dit une voix dans leur dos.

Joentaa se retourna et se trouva devant un homme jeune, ils devaient avoir à peu près le même âge. Il avait les cheveux courts et le corps qui se dessinait sous la blouse bleu-vert paraissait très mince.

– Une question de centimètres, répéta-t-il.

Il avait une voix calme et rassurante. Joentaa pensa à Rintanen, le médecin qui s'était occupé de Sanna pendant les dernières années de sa vie. Il avait le même timbre de voix.

– Il va s'en sortir, déclara le jeune médecin. Il ne devrait rester que quelques jours parmi nous, après, une aide-soignante à domicile suffira.

Westerberg acquiesça et Paavo Sundström inspira profondément. Inspira et expira profondément.

– Bravo, dit-il. Bravissimo.

Le jeune médecin et Westerberg lui lancèrent un coup d'œil surpris et Sundström répéta :

–Bravo, bravissimo. Oui, oui.

Il sortit son portable et dit qu'il devait téléphoner. Il s'éloigna et Joentaa se tourna de nouveau vers la fenêtre derrière laquelle Hämäläinen était allongé sur un lit qui venait d'être fait, dans une pièce austère.

– Quand pourrons-nous lui parler ? demandait Westerberg.

– Bientôt, je pense. Bientôt. Peut-être même ce soir.

– C'est très important pour nous. Il peut sans doute nous donner des indices significatifs.

– Je comprends, dit le médecin.

Joentaa regarda Hämäläinen qui avait l'air de dormir paisiblement. Puis il détourna les yeux et aperçut sur un mur latéral une multitude de cartes de couleur. Remerciements de mères et de pères dont les enfants étaient nés dans cette clinique. Joentaa se demanda qui avait pu avoir l'idée d'accrocher ces cartes ici, et pas à la maternité. Il s'approcha et lut. Souvent, les parents avaient signé pour leurs fils et leurs filles, parfois même d'une écriture maladroite pour suggérer que c'était le nouveau-né qui avait signé lui-même. Joentaa contempla les photos, les tournures emphatiques, les expressions de bonheur, les formules récurrentes. Il pensa vaguement à Larissa. Ou quel que soit son nom. Il ignorait complètement si elle se protégeait. Ça ne l'intéressait pas. Il ignorait qui elle était. Il ne voulait pas le savoir. Il avait envie de l'appeler. D'entendre sa voix. Il imagina qu'il la touchait.

Il pensa à la dernière nuit à l'hôpital. Cela faisait des années mais c'était toujours la dernière. Sanna dormait, il tenait sa main. Il pensa au dernier moment. A la douleur qui battait sous sa peau. Il ne la sentait pas, il savait seulement qu'elle était là.

Il s'écarta du mur et regarda encore Hämäläinen allongé derrière la vitre. Il perçut un mouvement du coin de l'œil droit. Puis une femme entra dans son champ de vision, s'approcha de la vitre. Elle secoua la tête et serra les lèvres. Leurs regards se croisèrent.

– Je l'ai appris par la télévision, dit-elle.

Joentaa hocha la tête et la femme se tourna de nouveau vers la vitre.

Elle garda le silence un moment.

– Par la télévision, répéta-t-elle d'une voix à peine audible. Comme tant de choses qui le concernent.

31

Ils se rendirent au siège de la chaîne. Juste devant l'immeuble, étaient garés plusieurs véhicules de police. Dans leurs combinaisons blanches, les hommes de l'identité judiciaire s'harmonisaient aussi bien avec la neige qu'avec l'immeuble futuriste en verre qui se dressait derrière eux vers le ciel.

Westerberg était au téléphone. Sundström était au téléphone. Westerberg engueulait un collaborateur et, même là, il parvenait à garder un ton apathique. Sundström parlait à Nurmela qui appelait presque à chaque minute. Les enquêteurs d'Helsinki avaient annoncé une conférence de presse pour 14 heures. Sundström s'efforçait de faire comprendre à Nurmela qu'il ne serait pas sur le podium et qu'il laissait à ses collègues le soin d'attirer l'attention sur l'étroite collaboration entre Helsinki et Turku.

Ils pénétrèrent dans la tour de verre. Derrière la vitre, il n'y avait qu'un portier qui leur jeta à peine un coup d'œil quand ils passèrent près de lui. La catastrophe avait déjà eu lieu, il ne semblait pas en attendre une deuxième.

Le hall d'entrée et la cafétéria attenante étaient vides. Vidés pour l'identité judiciaire. Les interrogatoires avaient lieu dans la salle de conférences au premier étage. Westerberg les y conduisit sans interrompre sa conversation avec son collègue. Il ne lâcha son portable que lorsqu'il se retrouva en face de lui, les yeux dans les yeux, et là, l'autre ferma à son tour le sien.

– Ce n'est pas possible, dit Westerberg.

Il ne criait plus, maintenant il parlait doucement, lentement.

– Quoi donc ? demanda Sundström.

– Nous n'avons rien. Absolument rien, dit Westerberg. Qui a poignardé Hämäläinen, personne n'en a la moindre idée.

Ils s'avancèrent dans la salle qui était pleine de monde. Assis autour des tables, des agents discutaient avec les collaborateurs de la chaîne. Joentaa reconnut un des portiers qui les avait laissés entrer la veille.

– Voici la situation : nous évoluons en quelque sorte dans un espace clos, dit Westerberg. Mais pas complètement.

– Tu parles par énigmes, dit Sundström.

– Eh bien, en principe, tout le monde est enregistré, ce qui réduirait le nombre de personnes qui entrent en ligne de compte.

– A la centaine de personnes qui travaillent ici, c'est ce que tu veux dire ?

– Oui, mais malheureusement, ça ne marche pas.

– Ah, fit Sundström.

– Il y avait ce matin-là deux visites dans le bâtiment, pour les gagnants d'un jeu de mots croisés, expliqua Westerberg.

– D'un jeu de mots croisés ! répéta Sundström.

– Donc, si nous considérons que le meurtrier est quelqu'un de l'extérieur et que nous partons du principe qu'il est fort peu probable qu'il se soit enregistré avec nom et adresse avant d'agresser Hämäläinen, on peut penser qu'il s'est mêlé à ces gens et s'est introduit subrepticement dans l'immeuble avec un de ces groupes.

Sundström acquiesça.

– Et il a poignardé Hämäläinen dans le hall d'entrée et il est parti comme ça.

– Non, dit Westerberg.

– Ah non ?

– Non, Hämäläinen a été poignardé dans la cafétéria, dit Westerberg. Plus précisément, entre la cafétéria et le hall d'entrée. Il n'y a pas de porte entre les deux, ça communique.

Sundström regarda Westerberg et éclata de rire.

– Dis-moi, Marko, tu te fous de moi ?

– Non, répondit Westerberg.

– Tu ne vas quand même pas me dire que personne n'a remarqué que le présentateur vedette de cette chaîne gisait au sol grièvement blessé et en train de râler. C'est... il devait bien y avoir quelqu'un dans la cafétéria. Derrière le comptoir par exemple.

– Derrière le comptoir, à ce moment-là, il n'y avait personne parce que l'employée était justement aux toilettes. Deux femmes, deux rédactrices du journal télévisé, ont dit qu'elles avaient bu leur café à la cafétéria en même temps que Hämäläinen, mais elles l'ont juste vu sortir, elles n'ont pas vu qu'on l'agressait.

Sundström hocha la tête un moment et marmonna un semblant d'approbation.

– Bien, bien, bien bien. Oui, bien sûr.

– Je suis aussi furieux que toi...

– C'est une blague. A mourir de rire, s'écria Sundström.

Les conversations dans la salle cessèrent et Sundström se mit effectivement à rire.

– Vous avez vos caméras braquées sur tout ce qui bouge, et vous ratez le meilleur, cruelle ironie du sort, ah, c'est la meilleure, dit-il. Kimmo, regarde-moi ça, c'est une blague, non ?

– Maintenant, tu te calmes, Paavo, et on continue, dit Westerberg.

– Mais oui, bien sûr. Mais dis-moi d'abord comment tu fais pour rester aussi flegmatique ? C'est le yoga ou le tai-chi ou quoi ?

– Paavo, on continue...

– L'homme le plus célèbre de Finlande a donc été poignardé ici aujourd'hui, et deux hommes sont déjà morts, dont un que je connaissais et que j'aimais bien. Jusque-là, c'est bon ?

Westerberg hocha la tête.

– Je vais allé parler avec les portiers qui ont laissé entrer ces groupes de visiteurs, dit Sundström. Et avec les gens qui faisaient partie de ces groupes. Tout de suite. Et Kimmo va reparler avec ces deux femmes qui ont vu Hämäläinen dans la cafétéria.

Westerberg hocha la tête.

– Je m'en occupe, dit-il et il se remit à parler avec le collègue qui était toujours planté là, son portable à la main.

– Bon, je suis à court de blagues, dit Sundström.

Westerberg fit signe à Joentaa. Il était à côté de deux jeunes femmes qui avaient l'air à la fois horrifiées et excitées. Des sentiments ambivalents. Comme les deux garçons qui contemplaient Patrik Laukkanen gisant à terre dans la forêt à Turku, derrière le ruban de sécurité.

Joentaa tendit la main aux deux rédactrices et se présenta. Ils s'assirent à une des tables et Joentaa posa la question dont il savait déjà qu'elles y répondraient par la négative.

– Vous n'avez rien vu ? Ne serait-ce que l'ombre d'une personne qui a agressé Kai-Petteri Hämäläinen ?

Les deux femmes secouèrent la tête.

– Nous étions assises à notre table à la cafétéria quand... Kai-Petteri est parti. Nous avons...

– Nous l'avons suivi des yeux. Nous avons parlé de lui, compléta l'autre femme.

– Puis il est sorti de notre champ de vision et nous sommes restées assises quelques minutes. Nous n'avons... rien entendu. Absolument rien.

– Nous avons pris ensuite le même chemin que lui et nous l'avons vu allongé par terre...

Joentaa hocha la tête. Quelques minutes. Kai-Petteri Hämäläinen était resté quelques minutes allongé au centre du bloc de verre, entre la vie et la mort sans que personne le remarque.

– Il était allongé, en fait... très calme. Il nous a regardées et a juste hoché la tête...

– Nous nous sommes précipitées vers les portiers qui ont appelé les secours. Quelques secondes après, dans la maison, tout le monde avait l'air au courant. Tout d'un coup, ils étaient tous là...

– Essayez encore une fois de vous concentrer sur les gens que vous avez vus. Y avait-il quelqu'un qui, d'une manière ou d'une autre, n'aurait pas eu de raison d'être là ? Ou peut-être dehors, dans le parc, vous auriez pu voir quelqu'un par la fenêtre, en attendant les secours…

Elles secouèrent la tête.

– Personne, dit la plus jeune des deux. D'abord, il n'y avait personne, et après, tout le monde. Enfin, personne que j'aie remarqué.

Sa collègue acquiesça.

Joentaa les remercia. Les deux femmes se levèrent et hésitèrent un instant. Elles regardaient autour d'elles, semblant ne pas savoir ce qu'elles devaient faire. Comme la plupart des gens dans la salle. Etrange inversion des rôles, songea Joentaa. Les enquêteurs posaient des questions ciblées. Et les collaborateurs d'une chaîne qui mettait chaque jour en scène, sous des formes différentes, les catastrophes de la vie, étaient soudain à court de réponses.

Il pensa à Kai-Petteri Hämäläinen. A l'expression de son visage qui, s'il avait bien compris les rédactrices, était toujours la même alors qu'il gisait sur le sol, entre la vie et la mort.

Il regarda en direction de Sundström qui s'évertuait à soutirer des renseignements à un groupe de personnes. Joentaa reconnut un des portiers et supposa que les autres faisaient partie des groupes de visiteurs. La voix de Sundström, sa colère rentrée, parvenait jusqu'à lui. D'un côté de la salle, il aperçut l'assistante de Hämäläinen. Tuula Palonen, si ses souvenirs étaient bons. Elle parlait avec un homme de taille moyenne, aux cheveux gris, ou semblait plutôt écouter ce qu'il lui expliquait. Il se dirigea vers elle.

– Excusez-moi, dit-il.

Tuula Palonen se retourna brusquement vers lui.

– Vous ne voyez pas que… Oh… nous…

– Kimmo Joentaa. Je suis venu hier dans votre rédaction avec deux collègues.

– Bien sûr. Je suis désolée, nous étions en train de… Je vous présente Raafael Mertaranta, le directeur de notre chaîne.

– Enchanté, dit Mertaranta, et Joentaa fit un signe de la tête.

– Il paraît que Kai-Petteri va mieux, c'est formidable, dit Mertaranta.

– Les médecins disent que son état est stationnaire.

– Je voudrais aller à l'hôpital, dit Tuula Palonen, mais votre collègue – elle désigna Westerberg en conversation à une des tables – votre collègue souhaite que tous les collaborateurs soient présents.

Joentaa hocha la tête.

– Nous sommes allés à l'hôpital. On ne peut pas lui parler de toute façon. Il n'a pas encore repris connaissance.

Tuula Palonen émit un soupir imperceptible et Raafael Mertaranta demanda :

– Vous savez quand il pourra reprendre son émission ?

Joentaa était trop perplexe pour pouvoir répondre.

– Il faut d'abord que nous lui trouvions un remplaçant, évidemment, dit Mertaranta.

Joentaa chercha ses mots.

– Oui, dit-il enfin.

– De toute manière, aux infos, il va y avoir un flash spécial sur... sur Kai, dit Tuula.

Mertaranta hocha la tête.

– Nous pouvons peut-être faire une version longue du flash dans la tranche horaire de notre émission.

Mertaranta réfléchit un instant et dit :

– Bonne idée.

Il y eut un bref silence et Mertaranta lança à Joentaa un coup d'œil qu'il ne sut interpréter.

– Comprenez-moi bien, nous devons juste faire en sorte que l'écran ne reste pas noir. Et maintenant que Kai va mieux, nous sommes soulagés bien sûr...

Joentaa acquiesça.

– Et vous savez quoi... ajouta Mertaranta.

Joentaa attendit et pensa à Larissa, pensa qu'il voulait l'appeler, entendre sa voix.

– ... Kai-Petteri lui-même voudrait qu'on fasse comme ça. Vous savez ce que Kai-Petteri adorerait faire quand il aura repris des forces ?

Repris des forces... pensa Joentaa. Il revit le corps inerte transpercé de tuyaux et Mertaranta déclara :

– S'interviewer lui-même.

32

Glisser sur la neige comme sur des rails.

Rétablir l'ordre du monde.

– C'est ce que vous avez dit lors de notre dernier entretien. Je me souviens, dit la voix lointaine. Avez-vous une raison particulière de penser cela. Avez-vous une image particulière devant les yeux ?

Une image particulière...

– Toujours la même, dit-elle.

Le bus s'engage dans la rue étroite au bout de laquelle elle habite. Sur la gauche, le lac gris. Sur la droite le terrain de football blanc.

Le téléphone est léger dans sa main.

– J'ai un rendez-vous maintenant. Vous voulez qu'on avance notre prochain entretien ? Je vois dans mon agenda que nous n'avons pas prévu de nous voir avant la semaine prochaine, dit-il.

Le lac gris dans lequel Ilmari nageait.

– Je peux vous recevoir ce soir.

Le terrain de football sur lequel Veikko jouait.

– Ce soir à 18 h 30 ? Pour le règlement, je m'en occupe, on s'arrangera, dit-il.

L'homme allongé par terre. Le regard interrogatif, dans le vide. Elle est à côté et attend. Elle ne sait pas quoi.

Elle pense à la lettre qu'elle a trouvée le matin dans sa boîte. Elle a regardé longuement l'expéditeur. Une entrée en matière sympathique, une invitation cordiale et deux billets de train joints. Aller et retour. Qui peut décrire ça, à part elle ?

– Ce soir, nous parlerons de l'image que vous voyez, dit-il.

Une salle vide. L'homme est à terre et regarde en l'air. Elle suit son regard. Elle peut voir le ciel au-dessus d'un toit en verre. Elle est à côté et attend que le ciel leur tombe sur la tête.

Mais rien.

Rien ne se passe.

– J'ai noté 18 h 30. Vous êtes encore là ?

Un inconnu l'écoute tandis qu'elle se tait.

33

En début de soirée, le médecin appela et annonça que Kai-Petteri Hämäläinen s'était réveillé et pouvait être interrogé. Ils se rendirent à l'hôpital. Hämäläinen était dans son lit, immobile, entouré d'appareils et de tuyaux, il leur fit un signe de tête quand il les vit entrer.

– Ces messieurs de la police, murmura-t-il en esquissant un sourire.

Il se redressa un peu et eut l'air soulagé. Délivré de la peur de mourir, pensa Joentaa, et Westerberg commença à poser des questions. Les réponses que chuchotait Hämäläinen, surprenantes, étaient comme des gouttes d'eau dans le silence qu'elles rendaient plus profond.

– Rien ? demanda Sundström. Vous n'avez rien vu ? Rien entendu ?

– Une ombre, dit Hämäläinen.

– Une ombre ?

– Je me souviens d'être sorti de la cafétéria pour aller jusqu'aux ascenseurs. J'essayais de me remémorer le nom du médecin légiste... et c'est celui de son fils qui m'est venu à l'esprit.

– De son fils ? répéta Westerberg.

– Oui. Kalle. Le médecin légiste m'avait raconté qu'il allait avoir un fils et que celui-ci s'appellerait Kalle. Ça m'est revenu et à ce moment-là, j'ai vu une ombre et ensuite...

– Oui ? demanda Sundström.

– ... ensuite, tout s'est ralenti. J'ai eu la sensation de planer et j'ai ressenti une douleur dans le dos... Comme si quelque chose m'avait transpercé ou effleuré.

Ils attendirent.

– Une ombre et puis cette lumière. Et je me suis retrouvé dehors, on m'a porté. Et je me suis réveillé ici.

Ils attendaient mais Hämäläinen avait tout dit.

– C'est incroyable, dit Sundström.

Westerberg se tourna vers lui.

– C'est incroyable, répéta Sundström.

Hämäläinen hocha la tête et Joentaa pensa de nouveau qu'il avait changé.

– J'aimerais pouvoir vous aider.

– Et avant, demanda Sundström, vous n'avez rien vu ? En descendant et en allant à la cafétéria ? Ou avant encore, quand vous êtes arrivé ?

Hämäläinen réfléchit un moment puis secoua la tête.

– Quelqu'un que vous auriez remarqué. Qui ne faisait pas partie de la maison. Vous êtes-vous senti observé ?

– Non, répondit Hämäläinen. Il n'y avait rien de spécial. Quand je suis arrivé, il y avait des gens, bien sûr, et aussi quand je suis allé à la cafétéria mais je n'y ai pas fait attention.

Puis le silence, de nouveau.

– Est-ce que... Il n'y a personne... Vous n'avez aucun indice ? demanda Hämäläinen.

– J'ai bien peur que non, répondit Westerberg. Rien.

– Mais il doit bien y avoir quelqu'un qui a vu quelque chose.

– Nous supposons que votre agresseur s'est introduit dans la maison avec un groupe de gens qui devaient participer à une visite des rédactions, dit Westerberg.

– Évidemment, il est aussi possible que ce soit un collaborateur de la chaîne, compléta Sundström.

Hämäläinen resta un moment silencieux, toujours immobile.

– Mais qu'est-ce qui se passe ? Pourquoi ai-je été... fit-il enfin.

Westerberg chercha ses mots et Sundström répondit :

– Nous ne savons pas.

– Mais ce doit... ce doit avoir un rapport avec l'émission. L'émission que j'ai faite avec Mäkelä et le médecin légiste.

Sundström ne répondit pas. Westerberg non plus, et Kimmo pensa que ce que disait Hämäläinen était évident.

– Mais qu'est-ce qu'on a bien pu faire ? demanda Hämäläinen. Il n'y a rien eu de spécial.

Le silence, de nouveau.

– C'était une conversation tout à fait normale, j'en ai eu des centaines de ce genre, dit Hämäläinen. Il n'y avait rien de particulier. Un médecin légiste parle de son métier, un fabricant de mannequins montre comment il travaille. Rien de plus.

– Nous ne savons toujours pas quel est le contexte. C'est pourquoi il serait extrêmement important que vous puissiez vous souvenir des moindres détails de cette journée. Vous devez bien... Excusez-moi, mais vous devez bien avoir perçu quelque chose ?

– Une ombre, répéta Hämäläinen. Comme je vous l'ai dit.

– Une ombre ne suffit pas, observa Sundström.

– Je sais.

Dans leur dos, une porte s'ouvrit. La femme qui ce matin, à côté de Kimmo, regardait à travers la vitre Hämäläinen inconscient, était sur le seuil.

– Irene, dit Hämäläinen.

Irene Hämäläinen avança dans la pièce d'un pas hésitant.

– Ce n'est pas si grave, dit Hämäläinen à voix basse mais avec l'assurance propre au présentateur de télévision. C'est plus impressionnant que ce n'est en réalité.

La femme hocha la tête.

– C'est impressionnant ? En tout cas, je me sens bien, dit Hämäläinen.

La femme leur fit un signe de tête et s'approcha du lit.

– Où sont les koboldes ? demanda Hämäläinen

– Chez Mariella. Elles sont en forme, dit-elle.

Elle parlait d'une voix à la fois cassée et forte.

– Bien, dit Hämäläinen.

– Bon... nous allons y aller, dit Sundström en se levant.

Il fit quelques mètres et se retourna.

– Les médecins disent que vous allez rester ici quelques jours. Le service est sous surveillance policière. Seuls pourront entrer votre femme et les médecins qui s'occupent de vous. Et nous naturellement.

Hämäläinen acquiesça.

– Nous parlerons du reste la prochaine fois, dit Sundström.

Hämäläinen acquiesça et regarda sa femme, Joentaa pensa une fois encore qu'il avait changé.

Epuisé. Marqué. Soulagé. Libéré.

Irene Hämäläinen s'assit sur la chaise où s'était assis Sundström. Joentaa se retourna et pensa à Kai-Petteri Hämäläinen, à son expression toujours identique, au sourire quand les invités quittaient le plateau et il pensa :

Libéré. Mais pas de la peur de la mort.

Libéré du sentiment angoissant d'être immortel.

34

L'image fixe, scintillante. Toujours la même. 18 h 30. Elle n'a que quelques minutes à attendre. Maintenant, elle est assise en face de lui et répond par la négative quand il lui demande s'il s'est passé quelque chose de particulier.

– Vous n'avez pas l'habitude d'appeler. Vous n'avez encore jamais appelé entre deux séances, dit-il.

Elle acquiesce.

– Vous êtes allée voir Rauna ? demande-t-il.

Elle acquiesce.

– Comment va-t-elle ?

– Bien, dit-elle.

Il se tait, penche la tête sur le côté et regarde l'obscurité par la fenêtre.

– Vous avez parlé d'une image.

– Non, dit-elle.

– Non ?

– C'est vous qui avez parlé d'une image et j'ai dit que j'en voyais une. Toujours la même.

– Vous avez raison, dit-il.

Elle acquiesce.

– Vous voulez parler de l'image ?

– Non, dit-elle.

– De quoi voulez-vous parler ?

– De la petite Myy.

Il se tait et elle sourit. Elle a réussi à le surprendre. Elle le lit sur son visage et ça lui plaît.

– Bon, dit-il, parlez-moi d'elle.

– Pas d'elle, de moi, dit-elle.

– Bien, de vous. Parlez-moi de vous.

– J'étais la petite Myy le jour où j'ai fait la connaissance d'Ilmari. Je travaillais pour la Vallée des Moumines à Naantali. Un parc d'attractions pour enfants. L'univers de la famille des Moumines.

– Je sais, j'y suis déjà allé.

– Vous avez... des enfants ?

– Un fils.

– Vous avez un fils ? dit-elle. Quel... quel âge a-t-il ?

– Sept ans.

Elle le regarde longtemps en silence et au bout d'un moment, elle réalise qu'elle essaie de lire sur son visage s'il dit la vérité. Elle détourne les yeux.

– Je ne savais pas que vous aviez des enfants, dit-elle.

– Je n'ai que lui. Mon fils. Sami.

– Pourquoi ne l'avez-vous jamais dit ?

– Vous êtes la seule de mes patientes à le savoir, dit-il. Je n'ai pas l'habitude de parler de moi pendant les séances. Vous avez donc travaillé pour la Vallée des Moumines ?

– Oui... oui, j'étais la petite Myy. La petite fille rousse. Pendant les vacances, avant de commencer ma formation. Je jouais dans un groupe de théâtre qui avait été engagé pour la Vallée des Moumines. J'étais bien trop grande pour la petite Myy mais comme j'étais rousse, on m'a donné le rôle.

– Ça vous plaisait ?
– Beaucoup. J'avais chaud dans mon costume mais le soir, je plongeais directement dans l'eau et c'était...
– Oui ?
– C'était... merveilleux.
Il se tait.
– C'était si bien que j'ai du mal à croire que c'est vraiment arrivé.
– Et c'est là que vous avez rencontré Ilmari ?
– Oui. Il était là avec un de ses groupes. Vous savez qu'il s'occupait d'enfants handicapés. Des enfants autistes.
– Oui.
– Les enfants étaient... inhabituels. Je ne connaissais pas ça. Je voulais les amuser mais ils ne réagissaient pas.
Il hoche la tête.
– Ils n'étaient ni gentils ni hostiles, c'était comme s'ils n'étaient pas là.
Il hoche la tête.
– Les enfants étaient comme je me sens aujourd'hui, dit-elle.
– Décrivez-moi plus précisément ce que vous ressentez.
– Je n'en ai pas envie. J'ai envie de parler d'Ilmari.
– Eh bien parlez-moi d'Ilmari.
– Il s'occupait des enfants. Il les avait accompagnés à la Vallée des Mounimes et avait été le seul à rire. Des plaisanteries que je faisais. Il fallait que je sois drôle. Puis ils sont partis et j'ai dû m'occuper des autres enfants. Le soir, j'ai enlevé mon costume et tout d'un coup, j'ai vu Ilmari à côté de moi et il m'a dit que la petite Myy était plus grande qu'il ne pensait.
Il a de nouveau penché la tête. Imperceptiblement. Il ne le sait probablement pas.
– Le lendemain, il est revenu. Le surlendemain aussi. Nous sommes allés nager. J'ai toujours adoré ça. Laver le soir mon corps de toute la transpiration accumulée.
La tête penche sur le côté.
– Oui, c'est comme ça que ça a commencé.
– Un jour, il va falloir que vous parliez de la fin, dit-il.

Sa tête soudain dressée.
– Pour pouvoir recommencer à zéro, dit-il.
– Qui peut bien être aujourd'hui la petite Myy ? demande-t-elle.
Il regarde derrière elle, la pendule.

35

Sundström et Kimmo Joentaa passèrent la nuit à Helsinski. Ils étaient assis l'un en face de l'autre dans le hall désert de l'hôtel et parlaient dans leurs portables. Sundström avec Petri Grönholm et Joentaa avec Tuomas Heinonen. Ils échangeaient les résultats de l'enquête et les événements de la journée sans avoir l'ombre d'une explication.

Joentaa revit Patrik Laukkanen inerte dans la neige. Une image qui se détachait de la réalité. Il ferma les yeux et pensa qu'il ne pouvait fournir aucune explication. Ce devait être très simple. Il n'y avait pas d'explication pour les images qui échappaient à la réalité. Ou bien il n'y avait une explication qu'au niveau d'une nouvelle réalité qui avait fait naître l'image.

Il ouvrit les yeux et vit que Sundström le regardait.

– Ça va ? demanda-t-il.

Kimmo hocha la tête.

– J'ai eu une idée... bizarre, dit-il.

– Ah, fit Sundström en composant un nouveau numéro.

Les pensées de Joentaa s'égarèrent de nouveau pendant que la voix de Sundström prenait une intonation nouvelle. Il parlait avec Nurmela. L'informait de la situation sur un ton rigoureusement objectif. Par moments, il faisait un clin d'œil à Joentaa, sans doute pour lui signaler qu'il ne prenait ce ton grave et important que pour la circonstance et retrouverait sa bonne humeur aussitôt après.

Joentaa pensa à Larissa.

Au petit arbre dans l'obscurité.

Sundström mit fin à la conversation avec Nurmela et dit :

– C'est trop con. Les gens ne font plus attention à rien. Parmi tous ces abrutis des groupes de visiteurs, il n'y en a pas un qui a pu nous éclairer.

Joentaa hocha la tête.

– Et les collaborateurs qui ont accompagné les groupes n'ont contrôlé qu'à moitié l'identité des participants. Ils se sont contentés d'annoncer le groupe à l'accueil et voilà. N'importe qui pouvait se joindre à eux. Un type a pu entrer sans problème avec les visiteurs et ressortir de la même manière étant donné le chaos qui régnait autour de Hämäläinen allongé par terre.

– C'est quelque chose qu'on ne peut guère planifier, fit observer Joentaa.

Sundström ouvrit de grands yeux.

– Ça a l'air évident mais ce n'est pas planifiable, expliqua Joentaa. Qu'il n'y ait eu personne dans le hall, c'est un hasard. Le meurtrier prend d'énormes risques. Il attaque Patrik en plein jour. Harri Mäkelä en pleine rue. Et Hämäläinen dans une immense tour de verre pleine de monde.

– Je ne sais pas ce que tu as. Tout a parfaitement fonctionné, dit Sundström.

– Ça a l'air évident, mais ce ne peut pas être le fait d'une planification délibérée, ajouta Joentaa, et il y a encore une chose qui m'étonne.

– Et c'est quoi ? demanda Sundström.

– Que Hämäläinen soit encore en vie.

Sundström acquiesça.

– Apparemment, le meurtrier n'a pas été surpris. Pourquoi n'a-t-il pas… achevé son travail ? demanda Joentaa.

Le portable de Sundström sonna. Il décrocha et fit aussitôt la grimace. Sans doute encore Nurmela. En faisant le compte rendu du planning pour le lendemain, Sundström s'efforça de garder son sang-froid.

– Oui, dit-il au bout d'un moment. Bien sûr. Comme tu n'es pas sans le savoir, je fais moi aussi ce boulot depuis quelques années. Oui. C'est comme ça. Je me fiche de savoir comment tu le prends…

Joentaa prit son portable et composa son propre numéro. Il tomba sur le message standard du serveur. Larissa n'était pas là, ou elle dormait ou elle ne décrocha pas. Il essaya une deuxième fois. « A demain », dit-il finalement avant de raccrocher.

De son côté, Sundström avait fini sa conversation. Il marmonna quelques jurons. Puis il se renversa brusquement dans son fauteuil, prit un air détendu et dit qu'il avait déjà réglé avec Marko Westerberg l'endroit où irait Hämäläinen.

Joentaa le regarda d'un air perplexe.

– Hämäläinen doit partir d'ici. S'il lui arrive quoi que ce soit, nous pourrons tous faire nos valises et quitter le pays.

Joentaa acquiesça.

– Dès qu'il sortira de l'hôpital, nous l'emmènerons dans le nord de la Finlande. Loin des studios. Sa famille pourra l'accompagner. Deux agents surveillent déjà la maison de Hämäläinen et veillent à ce qu'il n'arrive rien à sa femme et à ses filles.

– Tu lui en as parlé ? demanda Joentaa.

– À qui ? demanda Sundström.

– À Hämäläinen. Du nord de la Finlande.

– On n'a pas à lui en parler, dit Sundström. Dis-moi plutôt à quoi tu pensais.

– Pardon ?

– Ton idée bizarre. Tu veux bien me la dire.

– Euh…

– Tu te souviens quand même ? Tu parlais d'une idée bizarre.

– Oui. Mais je ne sais pas si je saurai trouver les mots.

– C'est pas vrai… fit Sundström.

– Je pensais à… Patrik. Quand nous l'avons trouvé. J'ai tout de suite pensé que quelque chose clochait. Une image qui n'a rien à voir avec la réalité.

Sundström le regarda d'un air perplexe.

– Tu comprends ? demanda Joentaa.

– J'essaie, dit Sundström.

– La clé est l'émission. La conversation qu'ils ont eue tous les trois, dit Joentaa.

Sundström se tut.

– Je ne crois pas que nous trouverons de mobile rationnel, c'est pour cette raison que, pour le moment, nous tournons en rond.

Sundström l'effleura du regard, puis sembla fixer un point loin derrière lui.

– J'ai le DVD, dit Joentaa. Dans mon sac à dos. Je voudrais bien visionner encore une fois l'interview.

– Vas-y, dit Sundström. A demain. A sept heures au petit déjeuner. A huit heures, on continue les interrogatoires à la chaîne. A onze heures, conférence de presse. Cette fois, Nurmela insiste pour que je sois présent sur le podium. Ensuite, nous avons rendez-vous au labo de la police scientifique, en particulier à cause du profil des pneus. Mais le collègue nous a déjà dit de ne pas nous faire trop d'illusions. Avec un peu de chance, nous limiterons le cercle des suspects à moins de mille. Dors bien. Et tâche de ne pas te saouler – Sundström fit demi-tour – ou alors arrange-toi pour que ça ne se voie pas demain, ajouta-t-il en s'éloignant.

– Dors bien, dit Joentaa mais Sundström n'était déjà plus à portée de voix.

Joentaa le vit entrer dans l'ascenseur.

Les portes se refermèrent et Joentaa se retrouva dans le silence du hall faiblement éclairé. Par moments, des employés de l'hôtel passaient. A la réception, il y avait une jeune femme penchée sur des dossiers. Il pensa au DVD dans son sac à dos.

– Excusez-moi, dit-il à la femme.

Elle leva les yeux.

– Oui, vous désirez ?

– Vous avez un lecteur de DVD ? Ou un ordinateur portable, ça me suffirait.

– Le programme de la télévision est si mauvais ? demanda-t-elle.

– Euh, non. Mais il faudrait que je visionne un DVD.

– Nous avons aussi des chaînes payantes. Si jamais...

– Je dois regarder un DVD précis, expliqua Joentaa. Maintenant.

La femme secoua la tête et Joentaa se leva, s'approcha de la réception et sortit sa plaque de sa poche.

– Je suis de la police et vous me rendriez un grand service, dit-il.

La femme regarda d'abord sa plaque avec un sourire en coin, puis elle plissa le front.

– Il n'y a pas de problème, bien sûr. A côté de la salle du petit déjeuner, il y a aussi un lecteur de CD. Il va falloir que je vous ouvre, la nuit, c'est fermé.

– Ce serait gentil, dit Joentaa.

La femme passa devant, ouvrit la porte et Joentaa la remercia. Les écrans plats et les ordinateurs étaient alignés devant des tabourets de bar trop hauts. Joentaa s'assit devant un des ordinateurs, l'ouvrit et introduisit le DVD dans le lecteur. La musique du générique se fit entendre, et une voix enjouée de femme annonça les invités de la soirée. Joentaa réalisa pour la première fois comment elle nommait Patrik Laukkanen et Harri Mäkelä. Les Maîtres de la mort. Puis apparut Kai-Petteri Hämäläinen assis à son bureau et Patrik Laukkanen entra sur le plateau sous les applaudissements. Laukkanen se mit à parler de son travail. Drôle, plein de répartie, avaient dit Hämäläinen et Grönholm, et ils avaient raison.

C'était un Laukkanen différent de celui qu'il connaissait. Un Laukkanen qui avait pleinement conscience de l'importance du moment et de la dimension publique de son intervention. C'était une différence imperceptible et inévitable, qui n'avait pas d'importance. Une chose banale. Quiconque fait une apparition publique est différent, et redevient lui-même après.

Joentaa entendait la voix de Laukkanen, cette voix légèrement changée. Les images scintillaient, les voix se fondaient dans un ensemble confus, et Joentaa stoppa, revint en arrière et repassa la scène.

Du coin de l'œil, il aperçut la jeune femme de la réception qui jetait de temps en temps un coup d'œil dans la pièce et semblait lui demander quelque chose. Il ne réagit pas. Il n'entendait pas ce qu'elle disait. Elle disparut et revint au bout d'un moment. Puis elle disparut de nouveau.

Laukkanen parlait. Mäkelä parlait. Hämäläinen animait. Des draps furent soulevés et reposés. Le public applaudit. Un humoriste fit son entrée. Joentaa revint en arrière et repassa la scène. Il y avait là une idée qu'il n'arrivait pas à saisir.

La femme de la réception était à côté de lui et lui parlait. On souleva un drap que l'on reposa.

– Stop, dit Joentaa.

La femme recula.

Joentaa appuya sur la touche PAUSE.

– Je vous serais reconnaissante de bien vouloir... commença la femme.

– Stop, répéta Joentaa en regardant le scintillement de l'image fixe.

36

Kai-Petteri Hämäläinen était allongé sur le dos. Autour de lui, le jour s'avançait, puis la nuit.

Le jeune médecin et des infirmières passèrent pour vérifier comment il allait. Ils lui souriaient avec douceur et bienveillance, en le regardant comme s'il était un enfant.

Irene était assise près de son lit et lui tenait la main. Elle resta longtemps silencieuse puis lui transmit le bonjour des jumelles.

– C'est un peu formel non ? dit-il.

– Tu sais ce que je veux dire, répondit-elle.

De temps en temps, une des infirmières au doux sourire remplissait de liquides les perfusions qui l'entouraient et il demanda à Irene si elle se souvenait de Niskanen.

– Le skieur de fond ?

Il hocha la tête.

– Bien sûr, dit-elle.

– Tu sais ce qu'il fait maintenant ?

– Comment ça ? demanda Irene

– Ce qu'il est devenu.

Irene ne savait pas.

Puis elle rentra à la maison. Retrouver les jumelles et Mariella, sa sœur, qui avait eu la gentillesse de venir les garder.

S'asseoir à une table. Boire un café. Suivre un couloir. Une ombre, une douleur. Une sensation sourde, humide au bas-ventre. Une douleur au-dedans de lui.

Irene avait effleuré ses lèvres avant de partir, le médecin contrôlait toujours divers appareils.

– Dormez bien, lui dit-il.

– Vous aussi.

Une jeune infirmière vida le bassin, une autre plus âgée vérifia les pansements.

Il n'avait plus qu'à rester allongé sur le dos, si possible sans se tourner ni sur la droite ni sur la gauche, lui avait dit le médecin à un autre moment de la journée.

Il était resté sur le dos sans bouger et il avait demandé au médecin qui contrôlait les instruments s'il se souvenait de Niskanen.

– Le skieur de fond ? avait demandé le médecin.

– Oui, avait-il répondu.

– Bien sûr, avait dit le médecin.

– Vous savez ce qu'il fait aujourd'hui ?

Le médecin ne savait pas.

Il se demanda quelle rediffusion ils avaient passée. A 22 heures. Peut-être même à 22 h 15. S'il y avait eu ce soir-là un numéro spécial aux infos. Sûrement. Peut-être avaient-ils passé ensuite l'interview avec Niskanen. C'était une émission assez ancienne pour être rediffusée.

Dans les pièces attenantes, des gens criaient. Si fort qu'il pouvait les entendre. Il vit des infirmières et des médecins passer en courant devant sa fenêtre. Dans une direction, puis dans une autre. Il entendit qu'on discutait mais n'arrivait pas à se concentrer sur les paroles. Les paroles flottaient au-dessus de lui.

– Aujourd'hui, ce n'est pas tranquille, dit la plus jeune infirmière qui venait remplir une des perfusions.

– C'est déjà la nuit ? demanda-t-il.

– Plutôt le matin. Trois heures.

Il lui demanda si elle se souvenait de Niskanen, le skieur de fond.

– Oui, répondit-elle, tout le monde le connaît.

– Vous savez ce... commença-t-il.

– Oui ?

– Non, rien, dit-il.

37

Kimmo Joentaa sortit le DVD du lecteur, éteignit l'ordinateur, planta là la réceptionniste et regagna sa chambre. Il se laissa tomber sur les draps blancs et bien tirés et resta un moment à réfléchir.

Il hésita encore un peu, puis appela les renseignements, mais sans succès. Il sortit de son sac à dos la liste des numéros de téléphone sur laquelle figuraient les noms des principaux enquêteurs. En face du nom de Westerberg, il trouva trois numéros, le numéro professionnel, celui du portable et son numéro personnel. Il composa le dernier.

Westerberg décrocha au bout de quelques secondes, il avait l'air plus alerte que dans la journée. Joentaa lui expliqua de quoi il s'agissait.

– Vaasara. L'assistant du fabricant de mannequins ? demanda Westerberg.

– Parfaitement. Tu as son numéro ? Il vivait avec Mäkelä, mais il n'y a rien dans l'annuaire, ni au nom de Vaasara ni au nom de Mäkelä.

– Euh, fit Westerberg, une seconde.

Joentaa entendit une voix lointaine de femme, puis un bruit de papiers et Westerberg marmonna quelque chose qui ne lui était pas destiné. Puis il revint à l'appareil.

– Voilà, je l'ai, dit-il.

– Parfait.

– Tu as de quoi écrire ?

Joentaa alla chercher un stylo et nota le numéro que lui dictait Westerberg.

– Je te remercie.

– Il n'y a pas de quoi. Mais dis-moi, Kimmo, pourquoi...

– A demain, dit Joentaa avant de raccrocher.

Il n'avait pas le temps de formuler pour Westerberg une idée qui ne cessait de lui échapper.

Il composa le numéro qu'il avait inscrit sur le morceau de papier et attendit. Il laissa sonner pendant plusieurs minutes. Jusqu'à ce que Vaasara décroche.

– Oui... Allô...

– Kimmo Joentaa à l'appareil, de la police judiciaire de Turku. Je suis venu vous voir avec deux collègues...

– Oui...

– Il faut que je vous demande quelque chose, qui me semble important, c'est pourquoi je vous appelle si tard.

– Oui.

– C'est au sujet des mannequins.

– Oui...

– C'est à propos de leur fabrication. Je voudrais savoir ce qui sert de modèle au fabricant.

– De modèle ?

– Oui.

– Je... Excusez-moi, mais je...

– Qu'est-ce qui vous sert de modèle ? Vous fabriquez des reproductions très réalistes. A partir de quels modèles ?

– Oui… dit Vaasara.
– Comment ça, oui ?
– Différentes choses. Ça dépend aussi de la manière de travailler de chacun.
– C'est-à-dire ?
– Un fabricant de cadavres a des connaissances solides en anatomie, évidemment. C'est indispensable de toute manière pour pouvoir confectionner des mannequins… normaux. Quant à la reproduction de cadavres, nous avons diverses… sources. Par exemple, nous nous servons souvent de la littérature de la police, il y a des livres de cours pour les élèves des écoles de police qui reproduisent très fidèlement diverses sortes de morts…
Joentaa hocha la tête.
– Nous travaillons avec la médecine légale d'Helsinski… et avec la faculté de médecine… Nous assistons à des dissections… Et à côté de sa formation artistique, Harri avait des diplômes de chimie et de biologie… Il… il était brillant.
Joentaa hocha la tête.
– Je pensais à autre chose, dit-il.
– A quoi ?
– Est-il possible que quelqu'un reconnaisse dans un de vos mannequins un membre de sa famille qu'il aurait perdu ?
Vaasara se tut.
– Vous comprenez ? demanda Joentaa.
– Je crois que oui.
– Et alors ?
– Ce n'est pas possible, répondit Vaasara.
– Pourquoi ?
– Nous ne reproduisons pas de vrais morts, répondit Vaasara.
– Mais vous vous servez de photos comme support. Des photos de manuels par exemple.
– Bien sûr, dit Vaasara.
– Alors ?
– Nous utilisons des photos. Harri plus que moi. Harri avait d'importantes banques de données avec des photos, il y en a plein

sur Internet. Des corps de gens qui ont été frappés à mort, abattus, écrasés, mutilés. Des corps à diverses étapes de décomposition.

– Donc, nous sommes d'accord, dit Joentaa.

– Non, rétorqua Vaasara. Pour construire nos mannequins, nous nous servons des photos et des reproductions aussi bien que de nos connaissances des processus chimiques et biologiques, mais avant de tout notre imagination. Pas de personnes réelles.

– Ce qui veut dire...

– Ce qui veut dire que les supports réels dont nous nous servons ne correspondent pas au mannequin qui est finalement fabriqué.

Joentaa ferma les yeux et sentit que son idée vague et aberrante prenait une forme de plus en plus concrète à mesure que Vaasara essayait de le persuader du contraire. Vaasara n'avait pas l'air troublé ni blessé, il répondait aux questions sur un ton calme, endormi et absent, et ne semblait pas comprendre où Joentaa voulait en venir.

– Les visages, dit Joentaa.

– Les visages ? répéta Vaasara.

– Les visages des mannequins, précisa Joentaa.

– Ah... Les mannequins n'ont pas de visage. Ce ne sont généralement que des surfaces planes parce que, dans les films pour lesquels on fabrique les mannequins, on ne montre pas les têtes.

– Mais il arrive qu'on voie les têtes.

– Oui, c'est vrai, mais la plupart du temps, ce sont des... amas de chair méconnaissables... ou des lambeaux de peau, ou des chairs bouffies...

– Ce n'est pas tout à fait exact, dit Joentaa.

– Hum... Bon, quelquefois en effet, ce sont des visages réels, ceux des acteurs. Nous avons même reconstitué un grand acteur hollywoodien qui est mort. Il se mettait à bouger comme un gag récurrent dans une comédie burlesque.

– Non, ce que je veux dire, c'est que les mannequins qui ont été présentés dans le talk-show de Hämäläinen... ils avaient bien des visages réels.

– Euh... non, je ne crois pas, dit Vaasara.

– Si, par exemple, la victime de l'accident d'avion. Le visage du mannequin a été montré quelques instants en gros plan.
– Euh... un accident d'avion...
– Vous n'avez pas vu l'émission ?
– Non, à ce moment-là, j'étais aux Etats-Unis pour un projet de boulot.
– On voit le visage.
– Vous parlez d'accident d'avion, j'ai du mal à croire qu'on voie grand-chose du visage...
– On voit le visage, évidemment il est... grièvement blessé.
– C'est ce que je dis. Un amas de chair, avec des traces de sang, bouffi... méconnaissable à coup sûr. Si ça se trouve, c'est Harri lui-même.
– Pardon ?
– Il est arrivé que Harri prenne son propre visage comme support dans la phase de création. Pour... pour s'amuser.
Vaasara avait une intonation de tristesse dans la voix en disant cela et Joentaa se sentit épuisé.
– Le visage auquel je pense n'est pas celui de Harri Mäkelä, dit-il.
– Je dis juste qu'il est arrivé que Harri... commença-t-il.
– Non. J'ai l'impression que nous n'avançons pas, dit Joentaa.
– Oui...
– Je vous remercie.
– Oui... dit Vaasara.
Joentaa raccrocha.
Il posa son portable sur la table de nuit et resta un moment assis sur le lit.
Il pensait au visage qu'il avait vu.
Le visage d'un mort qui n'avait pas de visage.
Le visage d'un mort qui n'en était pas un.
Il pensa à la femme très blonde chez lui et ne comprit pas pourquoi elle lui manquait.
Puis il finit par fermer les yeux et sombra quelques secondes plus tard dans un sommeil tout aussi vague que la douleur et le vertige derrière son front.

29 décembre

38

Kimmo Joentaa se réveilla avec des frissons et le sentiment de savoir ce qu'il fallait faire. Il descendit dans la salle du petit déjeuner. Sundström était assis devant une tasse de café et un bol de corn-flakes, perdu dans ses pensées.

– Bonjour, dit Joentaa en s'asseyant à côté de lui.

– B'jour, dit Sundström.

– Je voudrais que nous donnions une autre tournure à l'enquête.

Sundström leva les yeux.

– Je crois que le mobile n'est pas rationnel mais procède par associations, dit Joentaa. Il a un rapport avec l'émission de la télé.

– Continue, dit Sundström.

– Je crois que le meurtrier a ressenti l'émission comme un traumatisme, comme une sorte... d'agression contre sa paix intérieure. Cela expliquerait la colère qui semble sous-tendre son acte.

Il chercha des signes d'ironie ou d'incrédulité dans le regard de Sundström mais n'en trouva aucun.

– Je ne sais pas encore lequel mais je suis persuadé que cela a un rapport avec les mannequins et la manière dont on les a utilisés.

– Des mannequins, Kimmo, des mannequins.

– Oui, mais pas pour tout le monde, imagine que quelqu'un ait vu autre chose. Peut-être une personne chère qu'il a perdue, une personne qu'il pleure.

Sundström resta longtemps silencieux et, au bout d'un moment, se remit à manger ses corn-flakes. Puis il reposa sa cuillère et dit :

– Drôle d'idée.

– Je sais, dit Joentaa. Mais j'y crois.

– Tu y crois !

– Hier soir, j'ai visionné encore une fois le DVD. Après j'ai appelé Vaasara, l'assistant de Mäkelä.

– Et alors ?

– Il a trouvé l'idée saugrenue.

– Ah.

– Cependant...

– Kimmo, moi aussi, j'ai vu l'émission et je sais que ces mannequins ne sont que des marionnettes en carton. Des cadavres de cinéma. Des accessoires. Du plastique.

– Tu ne comprends pas ce que je veux dire.

– Pas vraiment.

– Je voudrais voir les banques de données avec les photos dont s'est servi Mäkelä.

– Pourquoi ?

– Vaasara dit qu'il a collectionné tout un tas de photos d'enquêtes.

– Oui, oui, mais pourquoi voudrais-tu les voir ?

– Je ne sais pas.

Sundström baissa les yeux sur ses corn-flakes.

– Je ne sais pas ! Une raison typique de Kimmo Joentaa.

– Tu confirmes que l'interview joue un rôle clé. Et au cœur de cette interview, il y avait les mannequins.

– Jusque-là, je suis d'accord avec toi, mais je ne comprends pas ta théorie.

– Tu en as une meilleure ?

– Pour le moment, je n'en ai aucune.

– Tu vois...

– Tu imagines comme je suis détendu pour affronter la conférence de presse ! Je vais sûrement passer toute la matinée à me préparer à cette mascarade.

Kimmo se leva.

– Alors, à plus tard. J'y vais.

– Kimmo, attends…

Joentaa traversa d'un pas rapide la salle du petit déjeuner pour rejoindre le hall d'accueil. Quand il se retourna, il aperçut Sundström qui secouait la tête devant ses corn-flakes.

Il traversa le hall en pensant à Sundström qui, depuis l'attentat contre Hämäläinen, était étrangement passif et qui, pour la première fois depuis que Joentaa travaillait avec lui, semblait dépassé par la situation. Il lui faudrait sans doute retrouver son sens de l'humour, qu'il avait actuellement perdu, pour retrouver toute son efficacité.

A la hauteur de la sortie, il s'arrêta et obéissant à une impulsion, il tira son portable de la poche de son manteau. Il composa son propre numéro et au bout de quelques secondes, entendit une voix inconnue, mais ce n'était pas celle du message standard de son répondeur, et elle ne disait pas le même texte.

– Euh… Allô ?

– Oui ?

– Qui… qui est à l'appareil ?

– C'est moi qui devrais vous poser la question.

– Larissa ?

– Non.

– Mon nom est Joentaa et je suis le propriétaire du téléphone que vous tenez dans votre main.

– Ah, c'est vous !

– Exact. Et j'aimerais bien parler avec Larissa si…

– Elle n'est pas là.

– Ah bon. Et qui êtes-vous ?

– Jennifer. Une collègue.

– Ah… Dans ce cas…

– Larissa est dans la salle de bains. Je suis passée la prendre parce qu'à pied jusqu'à l'arrêt de bus, ça lui fait loin.

– Oui…

– Hier, elle est arrivée en retard. C'est mal vu.

– Oui… C'est sympa de passer la prendre.

– Vous voulez qu'elle vous rappelle ?

– Ce serait gentil.
– Bon, au revoir.
– Oui… Euh… Un instant…
Ladite Jennifer avait raccroché et Kimmo Joentaa resta un moment le portable à la main. Puis il le remit dans sa poche et sortit dans le soleil hivernal.

39

Pellervo Halonen, le directeur du foyer, lui fait un geste d'adieu, Rauna se retourne dans son siège d'enfant et répond à son signe.
– Au revoir, lui crie-t-elle, bien que Pellervo Halonen ne puisse pas l'entendre.
Pendant le trajet, Aapeli, son voisin, est assis sur le siège arrière et lui raconte des histoires, Rauna n'arrête pas de rire. Elle est contente qu'Aapeli soit là. Le matin, il l'a abordée au moment où elle partait. Aapeli lui a dit bonjour en souriant, elle a lu la tristesse sur son visage et lui a demandé s'il voulait l'accompagner.
– Où ça ?
– A la Vallée des Moumines. A Naantali.
– Le parc pour enfants ?
Elle a hoché la tête.
– Nous deux ? a demandé Aapeli.
– Et Rauna, a-t-elle répondu. Une amie. Nous passons la prendre.
Aapeli a réfléchi un moment sous les tourbillons de neige puis il a fait signe que oui et, sans revenir chez lui, il est monté dans la voiture.
Maintenant Aapeli raconte des histoires et Rauna rit, et elle glisse sur la neige comme sur des rails et l'ordre du monde semble rétabli.

Rauna demande d'où il connaît toutes ces histoires et Aapeli répond que ce sont des histoires qu'il ne peut pas raconter à ses petits-enfants parce que ses enfants ne viennent jamais le voir.

– Pourquoi ? demande Rauna.

– Je crois qu'ils n'ont pas le temps, répond Aapeli.

– Pourquoi ? demande Rauna.

– Parce qu'ils travaillent beaucoup et qu'ils n'habitent pas tout près.

– Pourquoi ? demande Rauna.

Quand ils arrivent à Naantali, les maisons en bois sont couvertes de neige, les restaurants, fermés et la mer, gelée. Ils s'engagent sur la large passerelle et Aapeli dit :

– La Vallée des Moumines est ouverte en hiver ?

Elle s'arrête et le regarde.

– Je veux dire, en fait, il fait beaucoup trop froid maintenant.

Ils continuent à marcher. Jusqu'au bout de la passerelle, puis sur le chemin forestier de l'île jusqu'au grand site clôturé. Les guichets sont vides, les fenêtres fermées avec des cadenas.

– Tu as raison, Aapeli, dit-elle.

– Dommage, dit Rauna.

– J'aurais dû y penser, en hiver, c'était toujours fermé, dit-elle.

Aapeli fait quelques pas en avant.

– Bizarre, les portes sont grandes ouvertes, s'écrie-t-il.

– Oui, dit-elle.

Les guérites des caisses sont fermées mais les grandes portes par lesquelles on entre dans le monde des Moumines sont ouvertes.

– Dans ce cas, allons-y, dit Aapeli.

Rauna se précipite puis hésite. Elle a toujours peur de faire quelque chose de défendu. Même sans le faire exprès.

– Allez, viens ! lui crie Aapeli, et elle pense qu'elle ne l'a jamais vu si heureux.

Rauna attrape la main d'Aapeli, elle prend sur elle et leur emboîte le pas.

Ils marchent sur une île déserte et entendent des coups répétés. A intervalles réguliers. Au loin, des hommes se crient des choses qu'ils ne comprennent pas.

– Ils font des travaux de rénovation, dit Aapeli, c'est pour ça que les portes sont ouvertes.

Ils restent sur la hauteur et voient la tour en bois bleue dans laquelle vivent les Moumines. Sur une échelle, un homme donne des coups de marteau sur le toit rouge. Un autre, en bas de l'échelle, lui donne des instructions. Ni l'un ni l'autre ne font attention à eux quand ils passent.

– Plus bas, il y a la plage, dit-elle. Et si nous restons sur la gauche, nous allons tomber sur le bateau du papa Moumine.

– Super, je veux y aller, dit Rauna.

– Et moi donc ! dit Aapeli.

Ils passent tous les deux devant, bien qu'ils ne connaissent pas le chemin, et elle les suit en pensant à l'été où elle a travaillé ici. Ce ne sont pas des souvenirs, c'est une série d'images insaisissables.

Elle la petite Myy.

Ilmari un inconnu.

Et Veikko pas encore né.

La sensation de l'eau froide sur la peau les soirs d'été.

– A gauche, montez l'escalier, lance-t-elle à Rauna et Aapeli.

Elle aimerait bien venir ici avec Veikko. L'été prochain. Quand la Vallée des Mounimes sera de nouveau ouverte.

– Les lions partent en bateau, s'écria Rauna.

Elle est en haut sur le pont et tourne comme une folle la roue du gouvernail dans tous les sens.

– Et c'est moi le capitaine, pas le barbu.

– Et moi je suis le mousse, dit Aapeli.

Elle est en bas et tend le cou pour les voir.

– Tu viens avec nous ? lui crie Rauna.

Au-dessus d'elle le ciel gris. Il se détache des fils lâches auxquels il est accroché. Sur l'eau, les blocs de glace craquent et se brisent.

– Tu viens avec nous ? lui crie Rauna.

La voix de Rauna et une image dans sa tête. Les yeux de Rauna. Ils emplissent son champ de vision. Les yeux de Rauna dans l'obscurité.

– Est-ce que le ciel s'est écroulé ?

C'est la voix de Rauna, elle sent le tremblement de ses lèvres, elle voudrait tendre la main vers elle, la toucher mais elle est clouée sur place.

Elle ouvre les yeux et sent les joues de Rauna sur son bras.

– Tu viens avec nous ? chuchote-t-elle.

– Super, le bateau, dit Aapeli, son voisin de longue date dont elle ne fait la connaissance que maintenant.

– Tu veux aller où ? demande-t-elle.

– A la plage, répond Rauna. Tu crois qu'on peut marcher sur l'eau ?

40

Westerberg était déjà parti au siège de la chaîne, mais un collègue sympa copia en quelques minutes toutes les photos du disque dur de Harri Mäkelä et les donna à Joentaa.

Joentaa était assis devant un écran, seul dans une grande salle surchauffée, avec toute une rangée d'ordinateurs visiblement neufs, et il contemplait un Harri Mäkelä qui, en riant à gorge déployée, avait passé un bras autour des épaules d'un ami. Une des nombreuses photos personnelles. Sur presque toutes, Mäkelä riait, d'un rire sympathique et sûr de lui.

Il mit un moment à comprendre comment étaient archivées les photos de Mäkelä. En fait, c'était selon un système simple. Mäkelä avait rassemblé les archives qui contenaient les photos qu'il cherchait sous la rubrique « CadavresModèles ». Joentaa ouvrit quelques fichiers et fit défiler les photos. Il se remit à frissonner.

C'étaient en général des photos prises sur des lieux d'accident. Des bicyclettes, des motos, des voitures, des hélicoptères, des débris d'avion. Des pompiers penchés sur des morts, des secouristes qui étendaient des couvertures sur des cadavres.

Parfois, Joentaa mettait quelques minutes à trouver sur la photo l'élément qui, dans la perspective du fabricant de mannequins, avait son utilité dans le fichier CadavresModèles. Une jambe sectionnée dans des fourrés, à côté de la carcasse brisée d'un avion. Les photos semblaient venir des quatre coins du monde, aussi bien de Finlande que du désert et des tropiques, beaucoup semblaient avoir été prises en Amérique, il y en avait des centaines.

Les Maîtres de la mort, pensa Joentaa.

Il fit défiler les photos en se demandant comment elles pourraient l'aider à comprendre la mort de Mäkelä, celle de Patrik Laukkanen, l'agression contre Hämäläinen.

Une conversation sur les mannequins était le lien entre les trois. Et les photos qu'ils regardaient avaient donné à Mäkelä des idées et des renseignements, l'avaient mis en situation de construire des reproductions réalistes.

De la fiction réaliste. Plus il regardait les photos, plus les théories qu'il échafaudait lui paraissaient contestables. Sur les centaines de milliers de téléspectateurs qui avaient vu l'émission, la plupart avaient certainement dû faire le deuil d'un être cher. Pourquoi l'un d'eux s'était-il senti concerné personnellement alors que tous les autres avaient juste passé un bon moment ? Mäkelä avait présenté trois mannequins, il avait expliqué de quelle mort cinématographique ils étaient morts ou allaient mourir – victime d'un accident d'avion, victime d'un accident de train, victime d'un incendie dans un train fantôme. Joentaa se demanda pourquoi il était le seul à trouver ça de mauvais goût. Lui et Larissa ou quel que soit son nom.

Et il se demanda si c'était justement pour cette raison qu'il faisait fausse route. Qu'il échafaudait de fausses théories qui ne menaient nulle part. Des mannequins, Kimmo, des mannequins. Sundström avait raison.

Il contempla les photos pris d'une légère nausée, il ne comprenait plus ce qu'il en avait attendu. Des photos classées clairement par catégories. Un show macabre de diapos. Rien de plus.

Il avait déjà vu ce genre de photo dans le cadre de sa formation. Pour être préparé et acquérir les connaissances requises. Exactement comme Mäkelä qui les avait archivées et étudiées pour pouvoir exercer au mieux son métier.

Des photos classées clairement par catégories... Chaque sous-titre de la catégorie CadavresModèles était pourvu de lettres et de suites de chiffres qu'au premier abord Joentaa ne put déchiffrer. *150402NL/AMS*. Ou *110300US/NY*. Quand il tomba sur *201199FIN/TAM*, il comprit. Des dates, des pays et des villes. Le 20 novembre 1999, il y avait eu apparemment un accident de train à Tampere. Mäkelä avait enregistré quatre photos de cet événement dans le fichier. Un corps anormalement plat, couché sur le dos à côté d'un wagon-restaurant détruit.

Il se demanda comment Mäkelä avait pu constituer des archives aussi volumineuses. Internet en est plein, avait dit Vaasara. Trois mannequins. Avion, train, train fantôme. Des événements spectaculaires. Reliés aux jours, aux années et aux lieux.

– Tenez, c'est pour vous, dit une voix dans son dos.

Joentaa sursauta.

– Pardon, dit le collègue en lui tendant une pile de CD. Je vous ai fait une copie de toutes les photos, au cas où vous en auriez besoin à Turku.

– Très bien, merci, dit Joentaa.

Le collègue hocha la tête.

– La conférence de presse va commencer. Je descends.

Joentaa éteignit l'ordinateur, prit les CD et les posa sur la table. Il n'aurait probablement plus besoin de visionner les photos. Il avait une autre idée saugrenue.

Les mannequins pourraient l'aider.

Les mannequins et les événements funestes auxquels ils devaient leur existence.

41

Irene. Et les koboldes. Et le jeune médecin dont il connaissait maintenant le nom. Valtteri Muksanen.

Drôle de nom. Drôle de jour.

Les koboldes étaient en face de lui et avaient l'air de ne pas le reconnaître. Elles ne disaient pas un mot, le regardaient comme quelque chose de bizarre, en riant bêtement, intimidées.

Une nouvelle chambre. La lumière hivernale filtrait à travers les vitres. De temps en temps, un policier en civil passait la tête dans la pièce, supposant sans doute que les deux petites filles cachaient des explosifs sous leurs robes.

Le médecin au drôle de nom avec lequel il parlait quand Irene et les enfants avaient frappé à la porte se retira, après avoir fait un signe d'encouragement à Irene et serré la main aux enfants.

Kai-Petteri Hämäläinen regarda Irene et ses filles, et pensa à Niskanen. Il ne lui sortait plus de la tête. Irene suivit des yeux le médecin qui referma la porte derrière lui.

– Il n'en a pas l'air mais c'est lui le médecin en chef, dit Hämäläinen, et Irene hocha la tête.

– Valtteri Muksanen. Drôle de nom.

– Tu trouves ? demanda Irene.

– Pas toi ? demanda-t-il.

Elle s'assit près de lui, les enfants s'avancèrent imperceptiblement, les bras ballants, dans sa direction.

– Il m'a recommandé de rester encore un peu, mais il dit que j'ai eu une chance inouïe et qu'éventuellement je pourrai partir dans quelques jours.

– Oui, dit Irene.

– Je suis content que vous soyez là, dit-il.

Silence.

– Approchez, les koboldes. Ce ne sont que des médicaments, dans le tuyau.

Les fillettes s'approchèrent du lit en cherchant des yeux le soutien d'Irene.

Irene prit sa main et la caressa. Il fit quelques grimaces, les filles se mirent à rire, s'approchèrent encore un peu, puis finirent par s'asseoir avec précaution sur le lit.

– Tu as eu des échos de la chaîne ? Tuula t'a appelée ? Ou Mertaranta ?

– J'ai débranché le téléphone. Il a sonné pendant plusieurs minutes.

– Ah.

Son portable. Machinalement, il tendit la main vers l'objet mais il ne pouvait pas beaucoup bouger et il ignorait où celui-ci se trouvait. Il faudrait qu'il demande au médecin.

– Ça passe en boucle aux infos, dit Irene.

Il hocha la tête. Ressentit une étrange fierté. En boucle aux infos.

– Ça fait sensation, murmura Irene.

Il fit encore une grimace aux enfants

– Comme tout est fragile, dit Irene.

42

Kimmo Joentaa rentra à Turku par le train. Il chargea le collègue sympa de prévenir Westerberg et Sundström qu'il était déjà parti.

Cela ne plairait pas à Sundström, mais il n'avait plus le temps de s'occuper de détails. Derrière les vitres défilaient des maisons blanches, des étangs et des forêts. A côté de lui, un jeune garçon penché sur un ordinateur portable jouait à un jeu vidéo dont le sens échappait à Joentaa. Un homme portant un masque d'oiseau jaune conduisait des voitures à la casse et sautait du haut d'un immeuble. L'homme sur l'écran s'écrasa au sol, le garçon semblait sur le point de s'endormir.

– Quel suspense, marmonna Joentaa.

Le garçon lui lança un coup d'œil méfiant puis se concentra de nouveau sur son jeu, attentif à enterrer l'homme.

De la gare, Joentaa se rendit au commissariat tout en réfléchissant à l'idée qu'il avait eue en regardant les photos clairement archivées de Harri Mäkelä. Une idée qui serait certainement difficile à exploiter. Difficile ou inexploitable.

Quand il arriva, Petri Grönholm n'était pas là, Tuomas Heinonen était assis à son bureau.

– Kimmo, dit-il, vous êtes déjà rentrés ?

– Moi seul. Paavo est encore à Helsinki.

– Ah.

– J'ai une idée que je voudrais vérifier...

– Laquelle ? demanda Heinonen.

Joentaa regarda Tuomas Heinonen et se demanda comment formuler une pensée qui n'était pas encore claire et, tout en réfléchissant, il décela une expression nouvelle sur le visage de Heinonen. Son regard était toujours brouillé, toujours stressé. Mais il y avait autre chose.

– Gagné, dit Heinonen.

– Oui...

– Regagné tout. Presque tout. Il y a en ce moment un tournoi international de hockey sur glace en Allemagne. Slovaquie contre Canada.

– Oui...

– Victoire de la Slovaquie, ces idiots de bookmakers n'ont pas compris que le Canada arrivait avec une équipe de série B. Drôle d'erreur, ça n'arrive jamais.

Joentaa hocha la tête.

– Combo triple, deux favoris et justement la Slovaquie comme outsider avec une super cote...

Joentaa acquiesça sans comprendre.

– Je vais pouvoir tout avouer à Paulina et lui balancer l'argent sur la table.

– Je ne ferais pas ça.

– J'en ai plein sur moi, regarde... – Heinonen alla chercher son manteau qui était sur une chaise, en tira des billets de 500 euros –, autant que tu veux, je suis le roi, dit-il, désolé de t'avoir embêté avec ça ces derniers jours, je te remercie...

– Il faut que tu arrêtes, dit Joentaa

Heinonen le regarda avec de grands yeux.

– Il faut que tu arrêtes. Maintenant. Tout de suite.

– Tu as sûrement raison, dit Heinonen.

– Si tu aimes Paulina et tes enfants, tu vas arrêter avec ça maintenant, dit Joentaa, conscient de son ton pathétique.

– Tu as raison, dit Heinonen.

Il parlait d'une voix éteinte et machinale.

Ils étaient face à face et se regardaient sans rien dire.

– C'est quoi, l'idée que tu as eue ? finit par demander Heinonen.

Joentaa vit Heinonen, son visage échauffé, et la catastrophe qui se préparait. Il fallait qu'il parle à Paulina.

– Kimmo ?

– Oui...

– Tu as une idée...

– Oui... Je ne suis pas encore sûr. Si c'est possible, je voudrais contrôler les proches de tous les gens qui ont péri ces dernières années dans des accidents d'avion ou de train, ou dans l'incendie d'un train fantôme.

Heinonen acquiesça et eut l'air de se représenter d'abord ce qu'il venait de dire.

– Ah... Un train fantôme... Je comprends ce que tu veux dire... Les mannequins du talk-show.

– Exactement. On a évoqué de manière très explicite quelle mort cinématographique les mannequins avaient eue. Je crois que chez un proche qui a vraiment perdu une de ces victimes, l'émission a pu provoquer...

– Tu vas chercher loin, c'est quand même... un peu spécial, dit Heinonen.

– Je sais, mais ce qui se passe en ce moment, c'est aussi un peu spécial, non?

Heinonen acquiesça mais il n'avait pas l'air convaincu.

– Quoi qu'il en soit, je vais suivre mon idée. Indépendamment de ce que vous en dites.

Il s'assit à son bureau, il pensait encore à Paulina pendant que l'ordinateur se mettait en route. Il fallait qu'il lui parle. Mais il ne savait pas comment. Paulina était déjà au courant, elle devait donc être en mesure de l'arrêter. Qui le pouvait sinon elle ?

Il pensa aux billets dans la poche de manteau de Heinonen. Une fortune derrière une fermeture Eclair, que Tuomas devait avoir sur lui pour les porter au premier bookmaker venu après le boulot, voire pendant.

Il écarta cette idée et appela Päivi Holmquist aux archives. Elle avait une voix fraîche et insouciante fort agréable.

– Bien sûr que je peux t'aider, dit-elle quand il lui eut exposé son idée.

– Parfait. Et... comment ?

– Maintenant, nous avons un accès exhaustif et très facile aux archives des journaux, dit-elle. Avec les termes de recherche appropriés, je pourrai certainement établir une liste des événements qui entrent en ligne de compte.

– C'est très bien, dit Joentaa.

– Il faudra ensuite faire une recherche plus avancée pour retrouver les noms des morts. Et après, si je te comprends bien, il s'agira de leurs proches.

– Oui... exactement, dit Joentaa.

– Je m'y mets tout de suite.

– Je te remercie.

Il était là, le téléphone toujours à la main, soudain envahi par une sorte de dégoût... Retrouver des proches, réactiver leur chagrin, sur la base d'une idée sans doute saugrenue.

– Tu crois vraiment pouvoir en tirer quelque chose ? demanda Heinonen qui était assis en face de lui.

– Je ne sais pas...

– Patrik Laukkanen avait des dettes, dit Heinonen.

Joentaa leva la tête et le regarda d'un air interrogateur.

– Il a spéculé... en bourse, expliqua Heinonen.

– Et qu'est-ce que ça a à voir avec le meurtre de Mäkelä et la tentative de meurtre sur Hämäläinen ?

– Nous n'en sommes pas encore là, dit Heinonen.

Joentaa hocha la tête.

– C'est juste un résultat d'enquête, dit Heinonen.

Joentaa se leva brusquement. Il voulait rentrer chez lui. Tout de suite. Se retrouver avec Larissa devant le petit arbre. Que lui importaient les dettes de Patrik Laukkanen ? Ça ne le regardait pas.

Il descendit, passa devant le grand sapin richement décoré et alla jusqu'au distributeur de boissons. Il introduisit des pièces et prit une bouteille d'eau. En remontant, il aperçut Heinonen qui venait au-devant de lui. Le regard brouillé, stressé.

– Il faut que je... sorte, dit-il.

Kimmo Joentaa hocha la tête.

– Je reviens dans dix minutes.

Joentaa suivit des yeux Heinonen qui sortit dans les tourbillons de neige et, au bout de quelques mètres, se mit à courir.

43

L'après-midi, les deux policiers revinrent et, comme la veille, ils déclinèrent leurs noms, Sundström et Westerberg.

– Hämäläinen, dit Hämäläinen.

– Pardon ? dit Sundström.

– C'était une blague, dit Hämäläinen.

– Ah, fit Sundström avec un petit rire bref et sec en avançant la chaise sur laquelle s'était assise Irene le matin.

– Comment allez-vous ? demanda-t-il.

– Bien. Aussi bien que possible. Le médecin en chef, Valtteri Muksanen, pense que je pourrai bientôt rentrer chez moi.

– C'est pour ça que nous sommes ici, dit Sundström.

Westerberg avança une deuxième chaise qui était près de la fenêtre. Sur le rebord de celle-ci était posé un vase avec un bouquet de fleurs rouges et jaunes. Il ne se souvenait pas qu'Irene ait apporté des fleurs... Peut-être que le bouquet faisait partie du décor.

– Il s'agit de la question suivante... commença Sundström.

– Ces fleurs... dit Hämäläinen.

Sundström suivit son regard.

– Oui ?

– Elles sont vraies ou en plastique ?

Westerberg se leva lourdement et tâta les fleurs.

– Vraies, dit-il.

Hämäläinen hocha la tête.

– Nous souhaiterions que vous restiez ici encore quelque temps, dit Sundström.

Hämäläinen contempla les fleurs et demanda :

– Pourquoi ?

– Après... en attendant que tout soit élucidé, nous devrons vous mettre en lieu sûr.

Hämäläinen détourna les yeux des fleurs et regarda Sundström.

En lieu sûr...

– Ça fait film d'espionnage, dit-il.

– C'est l'expression consacrée, dit Sundström.

Hämäläinen hocha la tête.

– Vous et, si vous le souhaitez, votre famille, dit Sundström.

En lieu sûr...

– Vous comprenez bien que, tant que les enquêtes ne sont pas achevées, vous êtes en danger, dit Sundström.

En lieu sûr. Une maison entourée de forêt. Dans un hiver pittoresque.

– Vous connaissez Niskanen ?

– Le skieur de fond ? demanda Westerberg.

– Désolé, dit Hämäläinen.

– Pardon? demanda Sundström.

– Je vous remercie pour la proposition mais je préfère rester chez moi.

– Ce n'est pas possible, dit Sundström.

– Bien sûr que c'est possible

– Etant donné la...

– Je me sens bien. Le soir de la Saint-Sylvestre, je présente la soirée. Rétrospective sur l'année. L'émission sera transmise en direct. Il n'est pas question de passer une émission enregistrée.

Sundström le regarda avec de grands yeux, Westerberg semblait être complètement ailleurs.

– Ce ne sera pas possible, répéta Sundström.

On frappa à la porte.

– Oui ? cria Sundström comme si c'était sa chambre.

– Euh... Vous connaissez cette dame ? demanda l'agent en civil.

C'était Tuula. Elle avait l'air morose. Vieillie et les yeux rouges.

– Tuula, dit-il et il fut surpris de la chaleur qu'il y avait dans sa voix.

– Un instant, nous n'avons pas terminé, dit Sundström.

– Si, nous avons terminé. Assieds-toi, Tuula, dit Hämäläinen.

– Nous devons...

– Plus tard, dit Hämäläinen.

Sundström se leva brusquement et grommela quelque chose que Hämäläinen ne comprit pas. Il était déjà dans le couloir quand Westerberg, sur le seuil de la chambre, s'arrêta et demanda :

– Niskanen, le skieur de fond ?

– Exactement, dit Hämäläinen. Vous savez ce que...

– Celui qui élève des moutons ? demanda Westerberg.

– Pardon ?

– Niskanen. Il élève des moutons en Irlande.

– Pardon ?

– Je l'ai lu, dit Westerberg.

Puis il fit un signe de tête et sortit.

– Qu'est-ce que ça veut dire ? demanda Tuula.

– Des moutons en Irlande. Tu le savais ?

– Mais quoi ? demanda Tuula.

– Il faut que tu vérifies.

– Quoi donc ?

– Si Niskanen élève des moutons en Irlande. Et maintenant assieds-toi. Nous avons des choses à discuter, à propos de l'émission dans deux jours.

44

Le soir, Päivi Holmquist apporta une liste. Elle attendit à côté de Joentaa pendant qu'il lisait. *Septembre 2003, avion, Russie, quatre victimes originaires de Finlande, noms connus : Sulo (43 ans) et Armi Nieminen (48 ans), domiciliés à Rautatietori 32, Helsinki. Mai 2005, avion, Vaasa/FIN, petit avion de tourisme, deux victimes finlandaises, noms connus : Matti Jervenpää (29 ans), domicilié à Kalevalankatu 45, Vaasa, Kaino Soininen (42 ans), domicilié à Töölönkatu 83, Helsinki. Janvier 2006, train, Kotka/FIN, un mort, Eija Lundberg (16 ans)...*

La liste comptait quinze victimes et neuf noms. Les lettres scintillaient devant les yeux de Joentaa et il la remercia.

– Les noms qui manquent devraient être faciles à trouver. Je vais continuer encore aujourd'hui.

– Oui... Je te remercie.

– La liste est encore incomplète mais des accidents du genre de ceux que nous cherchons sont plutôt rares. Si tu cherches uniquement des gens qui ont été victimes de ces catastrophes, tu devrais trouver la plupart enregistrés ici.

Joentaa hocha la tête. Il lut les noms, il ne comprenait plus son idée.

– Il y a bien sûr beaucoup d'inconnues dans cette équation. En ce qui concerne les accidents d'avion et de train, je suis remontée dix ans en arrière, mais le résultat que tu cherches pourrait remonter encore plus loin. Il pourrait s'agir d'un accident dont n'ont pas parlé les médias, mais ça m'étonnerait. Même le crash d'un petit avion de tourisme près de Vaasa a été mentionné dans plusieurs journaux. Un autre problème est que je me suis concentrée pour le moment sur les victimes de nationalité finlandaise, ce qui est éventuellement réducteur...

Joentaa hocha la tête.

– Il y a eu en effet un accident dans un train fantôme mais cela remonte à plus de quinze ans. Dans un parc d'attractions à Salo, à l'époque, trois enfants avaient trouvé la mort.

– Oui.

– Je n'ai pas encore eu le temps de trouver leurs noms.

– Oui. Je te remercie, Päivi. Je ne... En fait je ne sais plus... L'idée que j'avais eue me paraît tout à fait saugrenue. Vaasara a sûrement raison...

– Vaasara ?

– Oui, l'assistant de Mäkelä, le fabricant de mannequins. Il n'a rien compris à mes élucubrations, quand je lui en ai parlé.

Päivi Holmquist garda le silence.

– Je ne sais pas comment j'en suis arrivé là. D'une certaine manière, c'est Larissa... une amie, qui m'a mis la puce à l'oreille. A cause du contraire d'un enterrement.

Päivi Holmquist ébaucha un sourire et dit :

– Kimmo, il y a des moments où tu es difficile à comprendre.

– Excuse-moi. En tout cas, je te remercie pour la liste.

– Dois-je continuer mes recherches ?

– Oui... oui, quand même.

Päivi Holmquist acquiesça et lui sourit avant de quitter la pièce et Kimmo Joentaa ne put détacher les yeux des mots qu'elle avait écrits et derrière lesquels il supposait une réponse.

Nom, adresse, date de naissance.

Sanna Joentaa, 25 ans, domiciliée...

Il composa son propre numéro. Attendit. Entendit le message standard du répondeur. « Vous pouvez laisser un message après le bip. » Il raccrocha et une seconde après, le téléphone sonna.

– Qu'est-ce que tu fabriques, Kimmo ? demanda Sundström.

– Je t'ai fait dire que je rentrais...

– Ça m'est relativement égal ce que tu m'as fait dire. Je te demande ce que tu fabriques. Qu'est-ce qui te prend de partir comme ça ?

– J'ai eu une idée que je...

– Quelle idée ?

– Ce que je te disais ce matin. Je crois qu'il y a un mobile irrationnel qui a un rapport avec les mannequins et avec la manière dont on les a exhibés.

Sundström se taisait, semblant attendre des précisions.

– C'était le contraire d'un enterrement.

– Quoi ?

– Et Hämäläinen, Mäkelä et Patrik étaient...

– Etaient quoi ?

– Les... profanateurs, si tu veux. Sans le vouloir, bien sûr. Mais je ne sais pas... C'est peut-être une impasse. J'ai justement sous les yeux une liste de noms que Päivi a recherchés et je doute qu'ils aient un sens.

Sundström resta un long moment silencieux.

– Paavo ?

– Hämäläinen va mieux. Il veut rentrer chez lui et reprendre son poste de présentateur. Le soir de la Saint-Sylvestre. Bonne année.

– C'est embêtant, dit Joentaa.

Sundström eut un rire forcé.

– Ou le contraire. L'appât idéal. A condition que nous ayons vraiment à faire à un de ces fous qui se font de plus en plus nombreux dans ce pays.

Sundström semblait attendre une contradiction ou une approbation.

– Le labo de la police scientifique travaille encore sur le profil des pneus. Il y a deux témoins qui prétendent avoir vu une petite voiture foncée devant la maison de Mäkelä. Couleur inconnue. Ce pourrait être une Renault Twingo. Si nous pouvons attribuer le profil des pneus à cette marque, nous arriverons peut-être à quelque chose.

–Bien, dit Joentaa.

– Pour le moment, je vais rester ici et m'occuper de la sécurité de Hämäläinen. Parce que j'ai du mal à croire que ce mollusque de Westerberg en soit capable.

Joentaa pensa à Westerberg complètement réveillé en pleine nuit au téléphone.

– A plus tard, dit Sundström.

– A plus tard, dit Joentaa.

Il posa le téléphone sur le bureau et prit la feuille de papier. Son regard revenait constamment vers un des noms. Raisa Lagerblom, 28 ans. Morte en août 2005 dans le crash d'un planeur à Kouvola. Domiciliée à Raisio. Pas loin de Turku.

Joentaa ne connaissait pas le nom mais il connaissait la rue. Une route de campagne qui conduisait à la plage de Naantali.

Il était passé sur cette route, pendant des jours d'été où Sanna et Raisa vivaient encore.

45

Tandis qu'elle marche à côté d'Aapeli sur le chemin qui mène à la maison, l'image revient. Aapeli ouvre la porte, il soupire doucement et dit qu'à présent il est un peu fatigué.

Ils sont dans l'escalier, l'un en face de l'autre, et il lui vient toujours une nouvelle phrase qu'il voudrait prononcer. Elle ne peut pas l'entendre. Aapeli parle d'une voix imperceptible, essayant de retenir pour elle la journée qui lui échappe.

– Rauna est une super petite fille... On aurait presque pu penser que nous étions une famille, la fille, la maman et le papy, dit-il en riant.

Elle le lit sur ses lèvres.

Est-ce que le ciel s'est écroulé ? demande Rauna, et elle ne peut plus bouger. Elle ne sent pas la douleur, elle regarde Rauna et s'efforce de retenir son regard quand Rauna ferme les yeux dans l'obscurité et elle pense : oui, il s'est écroulé. Oui.

Aapeli a penché la tête et elle voit qu'il craint d'avoir dit ce qu'il ne fallait pas.

– Je vais commencer par regarder toute la série de la Vallée des Mounimes, dit-il. Mes fils vont être surpris si je leur demande de me prêter les DVD des enfants.

Il rit.

– Bonne soirée. A bientôt, dit-il.

– A bientôt, dit-elle et elle attend que la porte se referme derrière lui.

Puis elle entre dans son appartement. Une lumière rouge clignote. Un message sur le répondeur. Le premier depuis longtemps. Elle appuie sur le bouton et entend l'annonce puis la voix dynamique d'un jeune homme :

– Bonjour, madame Salonen. Olli Latvala à l'appareil. Je vous appelle à propos de votre voyage demain. Vous devez avoir reçu les billets. J'irai vous chercher à la gare à 18 h 30. Ça vous va ? Je n'ai pas de numéro de portable sous la main, malheureusement. Je vous rappelle demain matin. En attendant, je vous souhaite une bonne soirée. Nous sommes heureux de vous accueillir.

Elle pense à des mots en allant dans la salle de bains.

Demain. Nous sommes heureux de vous accueillir.

Elle se fait couler un bain et enlève ses vêtements.

Elle est assise dans l'eau chaude, elle tremble, et Ilmari et Veikko sont des ombres dans ses pensées.

46

Tuula Palonen était assise devant son écran et lisait le communiqué de presse qui allait bientôt amener une série de journaux à effectuer des modifications de dernière minute sur les titres de leur première page.

Elle avait discuté du texte avec les membres de la rédaction mais elle n'arrivait pas à se décider à l'envoyer.

D'autant qu'elle n'était pas certaine que Kai-Petteri ait vraiment pensé à tout. A l'hôpital, sous cet éclairage, ce n'est pas du tout l'impression qu'elle avait eue. Elle l'avait trouvé changé. Très calme, presque enjoué, détendu d'une certaine manière, mais aussi marqué. Naturellement. Et quelque part, curieusement... absent. A plusieurs reprises, elle avait eu l'impression qu'il divaguait, ce qui ne ressemblait pas du tout au Hämäläinen qu'elle connaissait.

Il voulait revenir. Quelques jours seulement après qu'on eut tenté de le tuer. Présenter l'émission comme prévu. Sans rien changer à la liste des invités, sans changer le programme. Aucune mention de ce qui... lui était arrivé. Alors que c'était le sujet de l'émission. Une rétrospective sans parler de la sensation de l'année. Il voulait revenir comme si de rien n'était.

Aucune modification de la liste des invités, à une exception près. Niskanen. Elle était censée inviter le skieur de fond Niskanen, aller le chercher en Irlande ou Dieu sait où, l'amener sur son canapé, et s'il refusait, elle pouvait attaquer le budget de l'année à venir jusqu'à ce que Niskanen accepte. Elle avait fait des recherches et c'était vrai. En effet, Niskanen, le skieur de fond, élevait des moutons en Irlande.

Elle contempla le communiqué de presse et résista une dernière fois à la tentation d'appeler Kai-Petteri pour le faire changer d'avis. Il devait déjà dormir et Mertaranta trouvait l'idée géniale.

Quelques secondes plus tard, elle posa le doigt sur la touche et envoya, consciente de l'importance de ce qu'elle faisait, la nouvelle de la résurrection prochaine de Kai-Petteri Hämäläinen dans le monde.

47

Quand Kimmo Joentaa rentra chez lui, Larissa était assise en manteau blanc sur les marches devant la maison. Il descendit de voiture, se dirigea vers elle et devina ses yeux dans la lumière blafarde.

– Hé, il fait froid ici, dit-il.

– Pas tellement, dit-elle.

– Comment... comment s'est passée ta journée ? demanda-t-il.

Elle resta un moment sans répondre puis se mit à rire.

A rire de lui, de bon cœur, jusqu'à ce qu'il se mette à rire à son tour.

30 décembre

48

Kimmo Joentaa partit de bonne heure pour Turku et laissa Larissa dormir.

Il espérait qu'elle arriverait trop tard au travail.

Il lui laissa un mot : *Chère Larissa, à ce soir, Kimmo*.

En l'absence de Sundström, c'est lui qui présidait la réunion du matin, il écouta un Tuomas Heinonen fatigué lui communiquer des détails supplémentaires sur la vie privée de Patrik Laukkanen, écouta un Nurmela excité lui demander des résultats et des informations, téléphona des heures avec Sundström.

Entre-temps, il lut les journaux qui annonçaient la guérison de Hämäläinen et son retour imminent à l'écran en des termes crus, ou alors curieusement solennels et en lettres surdimensionnées.

« Qui tue les Maîtres de la mort ? » titrait *Illansanomat*.

« Hämäläinen brave la folie, la douleur et le destin », pouvait-on lire dans *Eteläsuomalainen*. Folie, douleur et destin étaient écrits en rouge.

Dieu sait ce que cela voulait dire.

A midi, Kimmo Joentaa en eut assez et se rendit à Raisio. Par une route qu'il connaissait. Un raccourci que peu de gens connaissaient.

En conduisant, il pensa à Sanna, assise à côté de lui, dans une autre vie, déjà en maillot de bain pour pouvoir sauter dans l'eau le plus vite possible, et elle se précipitait dès qu'il engageait la voiture sur le parking.

Une route étroite sous le soleil, traversée de lignes jaunes, entourée de forêts et d'eau. De temps en temps, une maison qui défilait.

Le numéro 12 était une station-service. Deux pompes à essence pour les voyageurs égarés. Un panneau publicitaire couvert de neige vantait les mérites de crèmes glacées et de pizzas.

Il descendit et, tout en marchant, se demanda ce qu'il venait faire ici. Derrière le comptoir, il y avait deux femmes habillées pareil. Elles portaient un tablier blanc, un T-shirt bleu clair, un pantalon noir et une casquette avec le logo de la station-service. Une femme d'âge moyen se tenait devant une machine à sous. A entendre le tintement ininterrompu des pièces, avec son air blasé, elle devait être en train de décrocher le jackpot. A une des tables, un homme au ventre énorme, avachi sur une chaise, portait un morceau de pizza à sa bouche.

– Vous avez pris de l'essence ? demanda une des jeunes femmes.

– Non. Je m'appelle Joentaa, de la police de Turku, dit-il en tendant sa carte de police.

– Oh, fit-elle.

– Vous avez connu Raisa Lagerblom ? demanda-t-il.

Elle secoua la tête.

– Elle a habité ici, dit Joentaa. Du moins, au moment de sa mort, elle était domiciliée à cette adresse.

– Il y a deux appartements ici, au premier étage.

– Mais le nom ne vous dit rien ?

– Je ne suis là que depuis deux mois. Quand est-elle morte ?

– En 2005, répondit Joentaa.

– En haut, il y a un Lagerblom, dit la jeune collègue derrière elle.

– Oui ?

– Oui. Il était gérant de la station-service, mais il y a longtemps de ça. Maintenant, il habite juste là.

– Il s'appelle Lagerblom ? demanda l'autre.

– Oui, Joakim... Joakim Lagerblom, je crois.

– Celui qui a les yeux qui lui sortent de la tête quand il nous voit ? demanda l'une.

– Exactement, répondit l'autre.

– Comment puis-je accéder aux appartements ? demanda Joentaa.

– En ressortant, vous prenez tout de suite à gauche et encore à gauche, derrière la maison

– Merci, dit Joentaa, et il sortit.

– De quoi s'agit-il ? demanda une des femmes dans son dos.

Il ne répondit pas. La porte qui menait aux appartements était ouverte, Joentaa grimpa l'escalier et frappa. Un homme aux cheveux blancs, la soixantaine bronzée, vint lui ouvrir.

– Monsieur… Lagerblom ? demanda Joentaa.

– Oui, dit l'homme.

– Je m'appelle Joentaa. De la police de Turku.

Il montra de nouveau sa carte.

– Oui… dit l'homme.

Il n'avait l'air ni inquiet ni intéressé. Plutôt perplexe.

– Je voudrais avoir des renseignements sur Raisa Lagerblom, dit Joentaa.

– Raisa, répéta l'homme.

– Oui… elle… elle est morte dans un accident d'avion.

– En 2005. En été. Ma fille, dit l'homme.

– Je peux entrer ? demanda Joentaa.

L'homme fit oui de la tête et passa devant lui. L'appartement était plus grand qu'il n'en avait l'air de dehors. La fenêtre du salon donnait sur la route. Plus loin, on apercevait les maisons en bois de Naantali, une bande de la plage, à l'horizon, l'eau grise de la mer se fondait avec le ciel.

– C'est joli, dit Joentaa

L'homme haussa les sourcils.

– La vue, vous avez une jolie vue sur… Naantali, continua Joentaa.

L'homme acquiesça.

Ils étaient au milieu de la pièce et Joentaa ne savait pas quoi dire. L'homme vint à son secours.

– Vous voulez savoir quoi sur… Raisa ? Et pourquoi ?

– C'est difficile à expliquer. Pourriez-vous me dire… Y a-t-il, à part vous… d'autres membres de la famille de votre fille ?

– Pourquoi ?

– Nous interrogeons, dans le cadre d'une enquête, des gens qui ont perdu quelqu'un de leur famille dans des accidents... comme des accidents d'avion.

– Pourquoi ?

– Je ne peux pas vous donner de détails.

L'homme garda le silence et Joentaa comprit qu'il était en train d'avoir une conversation impossible, une conversation qui ne menait nulle part.

– Excusez-moi, dit-il.

– C'était seulement la deuxième fois qu'elle prenait l'avion toute seule, dit l'homme.

Joentaa acquiesça.

– Elle en rêvait. Elle était... brave. Elle tenait de sa mère. Ma femme a toujours dit, la chose la plus courageuse que je fais, c'est de me cuire au soleil été comme hiver. Jusqu'à ce que ça me rende malade.

Joentaa acquiesça.

– Mais après, elle est morte. D'un cancer. Et Raisa. Parce qu'elle voulait absolument voler.

Joentaa acquiesça.

– Je suis désolé de...

– Nous tenions la station-service. Ma femme et ma fille servaient à la cafétéria.

Joentaa hocha la tête.

Il se leva, tendit la main à l'homme et sortit dans le froid. Il était en sueur.

Il retourna dans la boutique. Les deux jeunes femmes derrière le comptoir feuilletaient un magazine en pouffant de rire. La femme devant la machine à sous n'avait pas bougé, de la machine filtraient des mélodies en boucle, monotones, incohérentes.

– Excusez-moi, dit Joentaa, y a-t-il d'autres personnes qui travaillent ici, si possible depuis plusieurs années ?

– Josefiina, dit une des deux.

– Oui ?

– Josefiina fait les pizzas. Je crois qu'elle a fait ça toute sa vie.

L'autre pouffa de nouveau.
– Et elles sont vraiment bonnes.
– Elle est où ?
– Derrière, dans la cuisine. Je vais vous montrer.
Joentaa la suivit. Comme l'appartement du bas, l'arrière du bâtiment était plus grand qu'il n'en avait l'air. Deux fours étaient remplis de pizzas dorées. Josefiina portait des gants et une coiffe en plastique blanche sur la tête, elle épluchait des tomates.
– Ce monsieur voudrait te parler, dit la jeune caissière. Il est de la police.
– Kimmo Joentaa, dit-il en lui tendant la main.
– De la police ? demanda-t-elle.
– Oui, je...
– La dernière fois que la police est entrée ici, c'est quand Raisa est morte. Dans un accident d'avion.
– Je sais, c'est pour ça que je suis...
– Il devait y avoir une enquête. Ils disent que dans ce genre d'accident, il doit y avoir une enquête.
– C'est vrai. Je voudrais vous demander quelque chose, dit Joentaa, puis il se tut parce qu'il ne savait pas comment le formuler.
– Oui ?
La vieille femme le regardait, dans l'expectative.
– Est-ce que vous pourriez imaginer qu'il y ait un proche qui n'ait jamais... surmonté la mort de Raina, qui porte en lui une sorte de... colère ?
– De colère ?
– Je ne sais pas comment dire.
– La mère de Raisa est morte. Elle avait un cancer depuis longtemps et après la mort de Raisa, elle aussi est morte.
Joentaa hocha la tête.
– Et Joakim, bien entendu, ne l'a pas supporté. Comment pourrait-on supporter ça ?
– Je sais, je suis désolé, je ne m'exprime pas clairement...
– Mais de la colère ? Je n'ai jamais senti de colère chez Joakim. De la colère contre quoi ?

Joentaa secoua la tête.
– Je ne sais pas. Excusez-moi.
Il tendit la main aux deux femmes et sortit. Une impasse, pensa-t-il. Une enquête qui ne menait nulle part.
Il pensa à Sanna. Elle était sous le soleil, au bord de l'eau, elle semblait attendre quelque chose.
Il s'engagea sur la route étroite et grise qui menait à la plage, puis fit demi-tour et rentra à Turku.

49

Paavo Sundström suivit la rédactrice Tuula Palonen à travers un labyrinthe de couloirs vitrés. Le portable collé à son oreille, elle passait un savon à un collègue. Puis elle raccrocha en fulminant, et Sundström sursauta.
– Ça va ? demanda-t-il.
– Visiblement, nous ne sommes pas en mesure de faire venir Niskanen.
– Le skieur de fond ?
Elle ne répondit pas, elle était déjà en ligne avec l'interlocuteur suivant.
– Kai veut avoir Niskanen. C'est quoi ce bordel, on devrait quand même bien pouvoir l'arracher deux heures à ses moutons, non ? Je m'en fous, la seule chose qui compte, c'est qu'il dise oui, et au plus tard ce soir. Parce que le communiqué de presse avec la liste des invités part, idiot. Et vous, vous voulez voir le studio, c'est ça ?
Sundström mit quelques secondes à réaliser que c'était à lui qu'on s'adressait et pas à l'idiot à l'autre bout du fil.
– Oui, exactement, ce serait sympa.
– Pourquoi au juste ?

Pourquoi au juste, pensa-t-il. Oui, pourquoi au juste.

– Nous voulons mettre des gardes du corps aux points sensibles. Il nous faut une vue d'ensemble, dit-il.

– Ah ah ! fit Tuula Palonen qui semblait écouter d'une oreille distraite.

– C'est pourquoi je tiens à voir le studio et les zones d'accès du public, expliqua Sundström.

– Des gardes du corps pour Kai, dit Tuula Palonen, pensive.

– Oui, tant que l'enquête n'est pas...

– Vous croyez que nous pourrions intégrer ça dans l'émission?

– Euh...

– Pas longtemps. Peut-être un bref entretien avec un des agents.

– Non, je crains que non.

– Kai ne serait sans doute pas d'accord de toute manière, dit-elle.

Son portable joua une symphonie et elle se remit à parler de Niskanen.

Ils entrèrent dans une grande pièce sombre qui comportait une immense paroi vitrée donnant sur un studio très éclairé. Légèrement à gauche, il y avait la table de mixage accrochée au plafond, des écrans plats sur lesquels passaient différents programmes. En particulier l'émission qu'on était en train d'enregistrer derrière la vitre dans le studio attenant.

Le studio était aménagé comme une salle d'audience. Un juge en robe, un accusé aux épaules tombantes et une jeune fille au milieu de la pièce, qui devait être un témoin. A droite et à gauche, le public, toutes les places étaient occupées. Il s'approcha doucement.

– N'ayez pas peur, ils ne peuvent pas nous voir, dit un homme qu'il n'avait pas remarqué et qui, assis sur une chaise pivotante, regardait alternativement ce qui se passait dans le studio et sur les écrans.

– Ah oui? demanda Sundström.

– Oui, c'est le même verre que celui que vous utilisez. On peut les voir, mais eux ne nous voient pas.

– Je comprends, dit Sundström. Je comprends, pensa-t-il. Le juge fictif porte un jugement sur l'accusé fictif. Le public porte un jugement sur les deux, l'homme sur la chaise pivotante porte un jugement sur l'ensemble.

– Ah, ah, fit-il tandis que Tuula Palonen apostrophait son interlocuteur au bout du fil, disant qu'elle allait appeler Kai et lui annoncer que Niskanen était mort.

– Au sens figuré, ajouta-t-elle en croisant le regard de Sundström.

Elle composa un numéro, attendit, inspira profondément, apparemment Hämäläinen ne répondait pas.

Dans les haut-parleurs, la voix du juge qui satisfaisait à un recours avait un son métallique. Le témoin parlait doucement, d'une voix tremblante. Le public avait l'air fasciné et concentré.

– Voici le studio, dit Tuula Palonen, tirant Sundström de ses vagues pensées.

– Oui, dit-il.

– Il sera aménagé de la même manière. Là où se trouve le juge actuellement, il y aura le bureau de Kai, vu d'ici, les invités seront assis sur sa droite. Le public se trouvera au même endroit que maintenant.

– Oui.

– Si cela peut avoir de l'importance pour vous.

– Oui, oui. Merci. Par où entre le public ?

– Par-derrière. La porte de droite donne directement sur le hall d'accueil. Le public entre par l'entrée principale puis il traverse le hall et la cafétéria pour accéder au studio.

– Ah bon. Nous allons devoir contrôler les gens.

– Pardon ?

– Nous allons devoir contrôler les gens, répéta Sundström, les palper pour s'assurer qu'ils n'ont pas d'armes.

– C'est... intéressant, lança Tuula Palonen.

– Ça ne prendra pas longtemps. Combien de personnes contient le studio ?

– Intéressant, répéta Tuula Palonen. Il faudrait tourner quelque chose là-dessus. Ce n'est pas possible de ne pas en parler du tout. Au début, suggéra-t-elle.

– Si vous voulez, dit Sundström. Combien de personnes contient le studio ?

– Environ deux cent cinquante. Beaucoup de personnalités. Des sponsors. Des invités. Il n'y a plus aucune place pour l'émission depuis au moins six mois. En ce sens, il n'y a pas… de souci à se faire.

Sundström hocha la tête. Parfait, pensa-t-il. Un souci en moins. Ce qui ne l'empêcherait pas d'ordonner qu'on fasse des contrôles sur les personnes.

– Vous croyez que Kai est vraiment… en danger ? s'enquit Tuula Palonen.

Sundström la regarda et se demanda comment on pouvait poser une question aussi stupide.

– Pas si nous sommes préparés à toutes les éventualités, répondit Sundström.

La voix métallique du juge parlait d'une dernière chance et d'une peine avec sursis. Le portable de Tuula Palonen joua une symphonie.

– Demain, avec Kai, ça va être l'émission du siècle, dit l'homme sur la chaise pivotante en bâillant.

50

L'après-midi, elle est assise dans le bureau de l'avocat. La secrétaire apporte un café noir, et le petit homme âgé est assis derrière le bureau marron foncé qui domine la pièce et dit que la situation se présente mal.

– Alors, il n'y a rien de nouveau, dit-elle.

– Non, malheureusement.

Elle acquiesce.

– On n'a pas retrouvé le propriétaire de l'entreprise qui a fait les travaux de rénovation.

Elle acquiesce.

– La procédure contre des employés de la ville va se conclure par un non-lieu.

Elle acquiesce.

– Il est toujours possible d'obtenir un dédommagement pour la souffrance, dit-il.

Elle acquiesce.

– C'est une question de tactique et… il faut tomber au bon moment.

Elle acquiesce.

– Je sais que ce n'est pas ce que vous voulez.

Elle le regarde et se souvient d'une époque où l'avocat était plus jeune, plus nerveux, plus inquiet et plus confiant. D'une époque où Veikko n'était pas encore né et où elle ne connaissait pas encore Ilmari. La neige a fondu et les plantes commencent à fleurir. Elle voit le printemps derrière la fenêtre, elle est allongée sur le lit et a laissé sa porte entrouverte pour entendre ce qu'ils disent. L'avocat et ses parents. L'avocat s'efforce de parler calmement, les parents se disputent. L'avocat leur suggère de prendre un temps de réflexion, son père rit et dit qu'il s'est trompé de métier, apparemment, il ne réalise pas très bien ce qu'on attend de lui.

Quelques semaines plus tard, elle a emménagé avec sa mère dans l'appartement à Paimio et elle a revu son père trois fois, pour les anniversaires. A son dernier anniversaire, il oublie le cadeau, dit qu'il va l'envoyer, mais il n'en a pas le temps car, en rentrant à Helsinki, il entre en collision avec une moto et se tue. Les coupures de presse sont dans un carton à chaussures dans une armoire de son appartement. A l'enterrement, sa mère ne pleure pas, le motard n'est que légèrement blessé et l'avocat dit :

– Nous n'abandonnons pas.

Elle acquiesce.

– Croyez-moi, je n'abandonne pas. Pour moi, c'est important. Je suis en contact permanent avec les parties civiles.

Elle hoche la tête.

Il y a quelques mois, elle est venue le trouver parce que c'était le seul avocat qu'elle connaissait et parce qu'à l'époque, il y a longtemps, il était le seul à avoir cherché à rendre la séparation plus difficile à ses parents. Il ne l'a pas reconnue, il est resté sans rien dire derrière son bureau pendant qu'elle lui racontait ce qui était arrivé.

– Nous continuons, nous gardons le contact avec les parties civiles, et le moment venu, nous serons bien préparés, dit-il.

– C'est bien, dit-elle.

– Oui... dit-il.

Elle attrape son sac, l'ouvre et en tire la boîte de petits gâteaux qu'elle a confectionnés.

– Oh, fait-il quand elle lui tend la boîte.

– C'est moi qui les ai faits, dit-elle. Avec du sirop d'érable.

– Je... Merci beaucoup.

– Parce que Noël n'est pas si loin, dit-elle.

51

En revenant, il trouva sur son bureau une liste de Päivi Holmquist. Onze nouveaux noms. Vingt en tout. *Ce devrait être exhaustif pour les accidents d'avion et de train des dix dernières années, à quoi s'ajoute l'accident du train fantôme à Salo*, écrivait Päivi.

Il contempla la liste, lut les noms. Pensa à Joakim Lagerblom et à Josefiina, aux conversations impossibles.

Il appela la rédaction de *Hämäläinen* et demanda qu'on lui passe Tuula Palonen. Elle n'avait pas beaucoup de temps et ne comprenait pas sa question.

– C'est à propos des mannequins qui ont été présentés dans le talk-show, répéta-t-il.

– Oui...

– On a dit précisément la sorte de mort qu'ils avaient eue. Vous comprenez ?

– Pas vraiment.

– Dans cet entretien, il s'agissait de montrer comment le fabricant de mannequins, Mäkelä, avait reproduit exactement le type de mort subie et donc, il a été dit de quelle sorte de mort le mannequin était mort. D'un accident d'avion, de train, d'un incendie dans un train fantôme.

– Oui... je me souviens.

– Ce que je voudrais savoir, c'est la chose suivante : avez-vous eu par hasard des réactions, des lettres ou autre chose, de téléspectateurs qui ont émis une critique ?

– Sans doute. Mais rien de particulier. Nous recevons des lettres et des mails après chaque émission, des critiques et des compliments. Plus de compliments d'ailleurs.

– Ce que je veux dire, c'est quelque chose qui se remarque tout de suite, peut-être un texte avec des menaces sous-jacentes, un texte qui attaquerait un ou plusieurs des participants personnellement...

– Non, sûrement pas.

– Ou quelque chose qui fasse allusion à des accidents d'avion ou de train réels, ou à un véritable incendie dans un train fantôme... Des gens qui auraient vraiment vécu cela et qui... qui auraient trouvé le ton de l'entretien peut-être trop désinvolte... Vous comprenez ?

Tuula Palonen resta un moment silencieuse.

– Je comprends, dit-elle enfin. Mais non, je ne crois pas que nous ayons ce genre de chose. Les réactions qui sortent du lot sont rares et on me les montre toujours.

– Oui.

– Mais je vais quand même me renseigner, dit-elle.

– Je vous remercie.

Joentaa raccrocha et regarda encore une fois la liste qu'avait établie Päivi Holmquist. Elle s'était aussi renseignée sur les noms des trois enfants qui avaient péri dans l'incendie du train fantôme. Ils avaient sept, neuf et douze ans. En septembre 1993.

Il regarda longuement les noms et prit une décision. Il fit des copies de la liste, passa deux heures au téléphone et, pendant la réunion de 16 heures, il suggéra à Heinonen et Grönholm de faire subir à l'enquête un changement de cap.

Grönholm regarda la feuille de Päivi Holmquist en fronçant les sourcils, et Heinonen lui demanda s'il en avait parlé avec Sundström.

– Plus ou moins, répondit Joentaa.

Heinonen hocha la tête.

– Onze de ces personnes vivaient dans le sud de la Finlande, nous nous en chargeons. J'ai délégué les autres aux collègues des différentes villes et ils se sont montrés très coopératifs.

– Une enquête à l'échelle nationale, dit Grönholm. Ils aimeraient tous trouver l'indice déterminant.

– Il s'agit de savoir si dans l'entourage des victimes, on a pu retrouver des proches qui ont réagi de manière ostensible à ce décès accidentel ou qui ont été profondément traumatisés. Trouver quelqu'un chez qui le deuil s'est transformé en agression irrationnelle.

– Purement théorique, dit Grönholm.

– Je sais, répondit Joentaa. J'ai déjà classé les noms. Avant demain après-midi, nous devrions être en mesure d'avoir des renseignement sur l'ensemble de ces personnes.

– Hum, fit Grönholm.

– Qui tue les Maîtres de la mort, dit Tuomas Heinonen.

– Quoi ? fit Grönholm.

– C'est la une du *Illansanomat*.

– Ah, fit Grönholm.

– L'idée de Kimmo n'est peut-être pas aussi saugrenue, dit Heinonen.

– Les idées de Kimmo sont toujours saugrenues, dit Grönholm en souriant.

52

Elle quitte le bureau de l'avocat et glisse sur des rails sur la neige.

Elle est assise en face d'un homme, une petite table les sépare. L'homme tape en alternance sur le clavier d'un petit ordinateur et sur celui de son portable. De temps en temps, il lève la tête et semble voir à travers elle comme à travers une vitre.

Elle le regarde et le bruit ininterrompu des touches produit par ses doigts pénètre en elle et forme un contraste agréable avec la sensation de flottement qu'elle ressent. Le contrôleur passe et composte les billets. Par moments, des enfants courent dans l'allée centrale. Dans un sens puis dans l'autre.

– Doucement, doucement, murmure l'homme sans lever les yeux de son clavier.

A la gare d'Helsinski l'attend un jeune homme qui s'avance vers elle en souriant. Un vrai sourire d'accueil. Sa poignée de main est ferme.

– Soyez la bienvenue. Je suis Olli Latvala. Nous sommes très heureux que vous ayez accepté, dit-il.

Elle hoche la tête. Accepté. Un mot intéressant. Elle réfléchit très souvent sur les mots depuis qu'elle a du mal à les prononcer.

– Franchement, je suis soulagé que vous soyez là. Je ne sais pas pourquoi nous n'avons pas pu nous parler au téléphone avant, dit Olli Latvala.

Elle hoche la tête.

– Ça arrive souvent, dit Olli Latvala. De tout faire à la dernière seconde. Et pour finir, ça marche quand même.

La dernière seconde, pense-t-elle.

– Parfait, dit Olli Latvala. Donnez-moi ça.

Il lui prend son sac et passe devant elle, résolu.

Elle se souvient de leur premier coup de fil. Il y a quelques mois de ça. A la fin de l'été. La sonnerie du téléphone se cristallise dans le silence et, en allant décrocher, elle se demande qui ce peut être. Cela fait un certain temps que plus personne n'appelle.

La voix de la femme lui est étrangère, elle est à la fois douce et ferme. Elle se présente, Tuula Palonen, elle parle quelques minutes de l'effondrement du ciel, d'Ilmari et Veikko, sans nommer leurs noms et sans comprendre.

« Vous ne comprenez rien », dit-elle à la fin à Tuula Palonen, et elle reste quelques secondes silencieuse. « Eh bien, aidez-moi, finit par dire Tuula Palonen. Aidez-nous, moi et les autres, à comprendre. C'est pour ça que nous vous invitons car qui peut comprendre, sinon vous ? »

Quand Tuula Palonen rappelle deux jours plus tard, elle accepte, Tuula Palonen se réjouit et lui pose tout un tas de questions sur l'effondrement du ciel, sur la manière dont elle l'a vécu, et en lui répondant, elle a l'impression de passer un examen. A la fin, Tuula Palonen dit que, malheureusement, on ne peut pas payer d'honoraires.

Honoraires, pense-elle. Réfléchit aux mots. Le jeune homme met son sac de voyage dans le coffre et lui ouvre la portière.

– Vous dormez au Sokos. Un bel hôtel.

Elle hoche la tête.

Le coup de fil a eu lieu en été.

La carte de remerciements et l'invitation sont arrivées en automne.

Maintenant, c'est l'hiver.

– Vous allez peut-être croiser Bon Jovi à l'hôtel, dit Olli Latvala. Il fait actuellement une tournée en Scandinavie, et nous avons eu l'immense chance de le planifier dans notre programme au dernier moment. Vous connaissez Bon Jovi, n'est-ce pas ?

Elle hoche la tête et le jeune homme lance la voiture dans une mer de lumières jaune, rouge et noire.

– J'aimerais bien parler avec vous du déroulement de l'entretien demain matin. Après le petit déjeuner, si vous voulez bien. Je pourrais venir à l'hôtel.

Elle acquiesce.

– A 17 heures, une voiture de la chaîne viendra vous chercher.

– Oui, dit-elle.

– Pour ce qui est arrivé à votre mari et à votre fils, je suis vraiment... désolé, dit-il.

Elle détourne les yeux de la route et le regarde.

– Je trouve cela remarquable que vous... acceptiez d'en parler, dit-il.

Parler, pense-t-elle.

Qui peut comprendre, sinon vous.

L'entrée de l'hôtel a des lumières dorées. Un groom prend son sac et le jeune homme dit à la femme de la réception :

– Salme Salonen. La réservation est sur le compte du talk-show *Hämäläinen*.

– Bienvenue, madame Salonen, dit la réceptionniste en souriant, et Olli Latvala lui serre la main longuement avant de disparaître dans l'obscurité par la grande porte à battants.

– Vous permettez que je passe devant ? demande le groom.

Elle hoche la tête et le suit jusqu'aux ascenseurs.

53

En quittant la pièce, Grönholm garda les yeux baissés sur la liste et Heinonen la fit tourner entre ses mains, il avait l'air détendu. Gagné, pensa Joentaa. Probablement une cote faramineuse. Il fallait qu'il parle à Paulina. Il appela Sundström à Helsinki, qui avait l'air énervé, mais qui lui dit d'agir comme il l'entendait en riant de son bon vieux rire à la Paavo Sundström, un rire à la fois menaçant et contagieux.

Sundström, lui au moins, était sur la voie de la guérison, pensa Joentaa en raccrochant.

Il passa le reste de la journée à s'occuper des noms qu'il s'était lui-même attribués.

Après Raisa Lagerblom, il y avait un couple de Salo dont la fille avait péri dans l'incendie du train fantôme. Erkki et Mathilda Koivikko. Il regarda le nombre d'années et pensa que cela remontait à trop longtemps. 1993. Trop de temps pour comprendre, classer, oublier, refouler. Quand l'idée lui était venue, il avait pensé à un événement plus récent.

Cela ne l'empêcha pas de se rendre à Salo, car une remarque dans les notes de Päivi l'avait frappé.

Sur la grande place du marché de Salo où, en automne 1993, était installée une fête foraine avec un train fantôme, des gens assis sur des bancs, grelottant de froid, regardaient les patineurs tomber et se relever sur la rivière.

Erkki et Mathilda Koivikko vivaient dans une maison rouge située à une centaine de mètres de la place du marché. Sur la boîte à lettres, il lut le nom. Koivikko. Les documents de Päivi Holmquist ne disaient pas s'ils vivaient déjà là en 1993. Probablement. Il resta un moment devant la maison, indécis, et s'imagina qu'Erkki et Mathilda Koivikko avaient vu l'incendie du train fantôme de leurs fenêtres.

Il fit demi-tour et traversa la place du marché et le pont. La banque Somero était située au rez-de-chaussée d'un grand centre commercial qui avait l'air récent. Des affiches représentant des gens heureux promettaient des intérêts élevés et une vie sûre, à l'abri du besoin. A l'accueil, assise derrière un guichet, une jeune femme lui sourit d'un air engageant quand il s'approcha.

– Mon nom est Joentaa, de la police de Turku, dit-il. Je voudrais parler à Erkki Koivikko.

Il montra sa plaque qu'elle considéra un moment. Elle eut l'air de vouloir dire quelque chose, mais se ravisa.

– Il est là ? demanda Joentaa.

– Oui, bien sûr. Venez.

Elle le précéda, franchit une porte de séparation qui menait à l'arrière de la filiale, passa devant des hommes et des femmes qui téléphonaient ou gardaient les yeux rivés sur des écrans. Contrairement à la plupart de ses collègues, Erkki Koivikko avait son propre bureau. La femme frappa et attendit, au bout de quelques secondes, une voix feutrée leur parvint à travers la porte, les enjoignant d'entrer. Elle ouvrit. Derrière un bureau brun clair était assis un homme à l'air plutôt costaud. Il portait un costume sombre et une cravate bariolée, et il était en pleine conversation téléphonique. Il parla encore un certain temps avant de se tourner vers la femme qui attendait sur le seuil à côté de Joentaa.

– Qu'est-ce que c'est ? demanda-t-il.

– C'est… un monsieur de la police… dit la femme.

Koivikko ne bougea pas.

– Ce ne sera pas long, dit Joentaa.

– Oui, dit Koivikko. Oui… Merci, Sonja. C'est bon.

La femme hocha la tête et partit. Joentaa entra et referma la porte derrière lui.

– La police, dit Koivikko.

– Ne vous inquiétez pas, ce n'est rien d'alarmant, dit Joentaa.

Il s'approcha et tendit sa plaque à Koivikko. Il avait fait exprès de ne pas annoncer sa visite. Il tourmentait un homme à qui un autre policier avait annoncé la nouvelle de la mort de sa fille. Il eut un pincement au cœur et attendit la réaction de Koivikko en pensant aux paroles qu'il allait prononcer.

– Pardonnez mon… étonnement. Ce n'est pas tous les jours que j'ai un policier dans mon bureau.

– Il s'agit de votre fille Maini, dit Joentaa.

Koivikko garda le silence. Un homme costaud, détendu, qui avait l'air surpris, mais parfaitement maître de lui.

– Je sais qu'elle est morte dans un accident il y a quinze ans, dit Joentaa.

Koivikko hocha la tête.

– A l'époque, vous avez fait… une chose qui a… inquiété un moment les collègues ici, à Salo.

– Vous parlez par énigmes mais je crois comprendre à quoi vous faites allusion, dit Koivikko.

– Vous avez menacé l'employé de la fête foraine qui était soupçonné d'avoir provoqué le feu par négligence.

Koivikko hocha la tête.

– Vous l'avez blessé au cours d'une altercation après l'audience.

Koivikko hocha la tête.

– L'homme a été déclaré innocent.

– Mais je pense qu'il était coupable, dit Koivikko. Pas intentionnellement, bien sûr. Par négligence. Un idiot. Un idiot de trop. Et j'avais de toute façon besoin d'un coupable, c'est pour ça que les conclusions du tribunal ne comptaient pas pour moi. Je savais qu'il était coupable, je n'avais pas besoin de preuves.

Joentaa hocha la tête.

– A l'époque, dit Koivikko. Ça fait longtemps.

Longtemps, pensa Joentaa.

– Le type a eu un œil au beurre noir. Vraiment, il a enflé en quelques secondes. Il s'en est tiré avec un œil au beurre noir, contrairement à ma fille.

Longtemps, pensa Joentaa. Koivikko était égal à lui-même, il avait l'air tendu mais calme.

– A l'époque, j'ai été interrogé à cause de cette histoire. Mais il n'y a pas eu plainte ni procédure. Le type qui avait tué ma fille a eu la gentillesse d'y renoncer.

– Je sais, dit Joentaa.

– Mais je soigne ma réputation. Je suppose que vos collègues disent de moi : « Koivikko… c'était bien celui qui ». A l'époque. Cette histoire affreuse. Et maintenant, il y a de nouveau un policier dans son bureau. Comment m'avez-vous trouvé ?

– Cela fait partie de notre travail, dit Joentaa et il pensa à Patrik Laukkanen qui était mort et dont la vie se trouvait sur son bureau, systématiquement épluchée dans un jargon bureaucratique.

– Ça m'intéresserait de savoir pourquoi vous êtes ici, dit Koivikko.

Joentaa hocha la tête. Il se força à soutenir son regard et demanda :

– Vous connaissez le talk-show de Hämäläinen ?

Koivikko resta impassible, les yeux plissés.

– Qui ne le connaît pas ?

– Vous avez vu l'émission dans laquelle les reproductions…

– Vous ne croyez quand même pas…

Joentaa attendit.

– Vous ne croyez quand même pas que je... Que l'exhibition de cadavres de Hämäläinen m'intéresse.

– Vous avez vu l'émission ?

Koivikko regarda Joentaa. Il avait l'air tendu, il se contenta de secouer la tête imperceptiblement.

– Intéressant, murmura-t-il.

– Vous l'avez vue ?

– Vous allez rire mais en effet, je l'ai vue. Avec ma femme. Nous aimons bien cette émission. Nous l'aimions bien.

– Plus maintenant ?

– Maintenant, très rarement, répondit Koivikko. Cette histoire de mannequins ne nous a pas plu.

– Et pourquoi ? demanda Joentaa, et durant quelques secondes, Koivikko sembla sourire en silence.

– Quand dans le générique, on a annoncé qu'il s'agissait de cadavres de cinéma, ma femme a tout de suite dit que ce n'était pas pour elle, mais moi, je trouvais le sujet intéressant. Mais quand il a été question de l'incendie d'un train fantôme et que la caméra a montré ce mannequin de cadavre, ma femme s'est mise à pleurer et moi, je suis allé dans la salle de bains et j'ai vomi.

Il resta un moment silencieux.

– Puis je suis revenu et j'ai regardé. En fait, c'était vraiment un sujet intéressant. Je me suis vite ressaisi. Ma femme était partie se coucher et le lendemain matin, elle a dit qu'elle trouvait ça de mauvais goût et qu'elle ne regarderait plus *Hämäläinen*.

Joentaa hocha la tête.

– Cela dit, elle recommence à le regarder de temps en temps. C'est ce que vous vouliez savoir ? demanda Koivikko.

– Oui, je vous remercie.

– Je ne sais pas exactement ce que vous imaginez mais je pense qu'il faut que vous sachiez une chose.

– Oui ?

– La mort de notre fille remonte à quinze ans. Et sur la civière à la télévision, l'homme carbonisé était en plastique.

Joentaa hocha la tête.

– Vous comprenez ?

– Oui, je vous remercie.

Il se leva et tendit la main à Koivikko. Koivikko le serra.

– Bon courage, dit Joentaa en lâchant la main de Koivikko.

Puis il traversa d'un pas rapide le couloir, sortit à l'air libre et se sentit un peu mieux quand il fut assailli par le froid pur et cinglant.

54

Kai-Petteri Hämäläinen quitta l'hôpital par une porte latérale à la faveur de l'obscurité.

Le jeune médecin au drôle de nom lui avait serré la main longuement et lui avait recommandé une fois de plus de rester au calme les jours et les semaines à venir. Les infirmières, les infirmiers et les patients l'avaient tous regardé quand il avait pris le long couloir qui menait aux ascenseurs. Maintenant, il marchait dans le froid en direction d'une limousine entre deux agents, un grand et un très grand, et une Tuula Palonen qui avait l'air tout excitée. Les agents avaient des manteaux longs et le regard impassible. Tuula tournait la tête à droite et à gauche, sur le qui-vive, elle sembla soulagée quand ils furent installés dans la voiture et que le grand agent démarra et se glissa dans la circulation du soir.

– Ça a marché, dit Tuula. Personne ne t'a vu.

Hämäläinen hocha la tête et pensa à la conversation qu'il avait eue l'après-midi, une conférence au téléphone avec Tuula et Raafael Mertaranta, le directeur de la chaîne qui l'avait félicité de sa sortie imminente de l'hôpital comme s'il s'agissait d'une prouesse.

Il était assis sur son lit, une des infirmières changeait l'eau des fleurs, et Tuula et Mertaranta étaient convenus d'attendre le moment favorable pour s'éclipser en évitant les éventuelles caméras, afin qu'il fasse un retour d'autant plus remarqué à l'écran. Le soir de la Saint-Sylvestre. Et que, rétabli à temps et enjoué, il puisse commenter devant les téléspectateurs les événements de l'année passée.

Phénix ressuscité de ses cendres, pensa-t-il tandis que la voiture glissait, sous la conduite d'un géant taciturne, à travers une claire nuit d'hiver. Ils quittèrent la ville et il ferma les yeux un moment.

Quand ils s'arrêtèrent, l'agent sur le siège du passager avant prononça son premier mot : « Terminus. »

Hämäläinen regarda par la fenêtre et chercha des yeux la maison où il habitait. Le grand jardin, la terrasse entourée de hauts sapins, la piscine recouverte d'une bâche plastique, la chaude lumière derrière les fenêtres. Irene. Les jumelles.

– Où sommes-nous ? demanda-t-il.

– A la maison, répondit le très grand qui avait conduit.

Il regarda encore une fois par les fenêtres latérales.

– Nous allons rejoindre la maison par l'arrière, d'assez loin, expliqua l'autre, venez.

Il descendit.

Ses yeux commençaient à s'habituer à l'obscurité. Ils étaient au pied d'une forêt rocailleuse.

– Vous n'êtes jamais rentré chez vous par la forêt ? demanda le très grand agent et Hämäläinen secoua la tête.

– C'est assez raide mais c'est un beau chemin, dit le moins grand.

Hämäläinen hocha la tête et serra les dents, tandis que les autres passaient devant d'un pas léger. Personne n'avait l'air de se souvenir qu'il avait été victime d'un attentat deux jours plus tôt.

– Ça va ? demanda Tuula alors qu'à une certaine distance, la façade de la maison commençait à émerger de l'obscurité.

– Parfaitement, dit Hämäläinen, et le très grand agent ouvrit la petite porte qui était toujours fermée.

– Je ne savais même pas que nous avions une clé de cette porte, dit Hämäläinen.

– Elle était accrochée au tableau des clés, dit le grand.

– Ah !

– C'est votre femme qui nous l'a donnée, dit le très grand.

Hämäläinen hocha la tête. Ils étaient dans le fond le plus reculé du grand jardin. Derrière les sapins blancs, la fenêtre. Derrière, de la lumière. Irene, pensa-t-il. A midi, il avait parlé avec elle au téléphone et avait eu l'impression qu'elle était très loin.

– Nous allons passer par la terrasse, dit le très grand.

Il marchait penché en avant, Tuula suivait, l'autre agent était derrière lui. Soudain, il lui attrapa le bras et s'arrêta quelques secondes. Mais ce n'était rien, seulement le vent sur la bâche qui recouvrait la piscine. Le très grand agent était déjà devant la fenêtre et frappait au carreau. La silhouette d'Irene derrière la vitre. Une porte qui s'ouvrait.

– Je vous en prie, dit le grand agent en l'invitant d'un geste ample à entrer dans sa propre maison.

55

Kimmo Joentaa resta longtemps au bureau, à la lumière du néon de sa table de travail, étudiant les notes de Heinonen et de Grönholm que Päivi avait classées en divers tas. Chacune des catastrophes avait suscité plus ou moins d'articles généralement neutres, parfois exaltés, écrits dans un style tantôt magistral, tantôt maladroit.

Un journal local de Savonlinna avait parlé pendant des semaines d'une jeune famille qui avait péri dans un accident d'avion en Russie en 2003. Des photos du jeune père, de la jeune mère, et même une photo rendue méconnaissable d'un bébé pas encore baptisé. Une interview avec le prêtre de la commune. Une avec la sœur de l'homme. Une autre avec des collègues de travail.

Tous les articles étaient de la plume du même journaliste. Joentaa nota son nom.

Et même, sur la première page du journal, il y avait une photo de la maison dans laquelle la famille avait habité. Au premier plan, on voyait un homme d'âge moyen, souriant, qui avait acheté la maison pour y vivre désormais. L'homme avait été interviewé. On lui avait demandé si ce n'était pas un peu sinistre d'habiter dans cette maison quand on connaissait cette tragédie, et l'homme avait répondu que non, il était lui-même veuf et avait l'habitude des tragédies.

Kimmo Joentaa regarda encore un moment cet homme souriant puis il reposa l'article et saisit le suivant.

Il prit des notes, établit des listes, classa les proches des victimes, fouilla dans les souffrances des autres et n'en ramena rien d'autre que des noms. Des noms comme ceux de Erkki Koivikko, père d'une fille, cadre dans une banque. Koivikko avait dit quelque chose qui ne lui sortait plus de la tête. Quinze ans. Et sur la civière, ce n'était pas sa fille mais...

Il ferma les yeux et essaya de se concentrer sur ce que Koivikko avait dit, mais sans succès. Il contempla encore un moment les noms sur le papier blanc, puis il rangea la liste avec les articles de journaux, les articles de journaux avec les autres documents que Päivi avait apportés, éteignit la lumière et rentra chez lui.

Durant le trajet, il pensa à Erkki Koivikko se levant, courant à la salle de bains et se penchant sur la cuvette. Un homme costaud, qui avait l'air maître de lui. Sur la civière à la télévision... avait-il dit.

Il pensa à la maison vide et à l'homme souriant qui l'avait achetée.

Veuf.

Habitué aux tragédies.

Il planait au-dessus de la route, par moments, un fragment de seconde, ses yeux se fermaient. Il avait encore neigé. Quand il bifurqua dans le chemin de la forêt, les pneus patinèrent et il dut redresser pour ne pas aller dans le fossé. Il gara la voiture et finit les derniers cent mètres à pied. Comme si souvent à cette époque de l'année. Il pensa à Sanna qui n'aimait pas ça. La première fois qu'ils avaient constaté que les hivers où il y avait beaucoup de neige, il était souvent impossible d'aller en voiture jusqu'à la maison, il était parti à pied dans la neige en maugréant et Sanna avait ri.

Dans la cuisine, il y avait de la lumière et derrière la vitre, il aperçut la silhouette d'une femme nue. Il resta un instant devant la fenêtre, la regardant préparer le gratin qu'elle lui avait promis quelques jours avant.

Puis il se dirigea vers la porte d'entrée et l'ouvrit. La chaleur l'assaillit et Larissa cria :

– Enfin, te voilà ! Le dîner est presque prêt.

Il resta sur le pas de la porte.

– Tu es pâle, dit-elle.

Il hocha la tête.

– C'est plutôt le souper, dit-elle en sortant du four le plat de pâtes brûlant.

– Ça a l'air bon, dit-il.

– C'est bon, dit Larissa.

Ou quel que soit son nom.

– C'est bien que tu sois là, dit-il.

Elle prit deux assiettes dans le buffet, des couverts dans le tiroir et demanda :

– Pourquoi ?

Kimmo Joentaa haussa les sourcils.

– Pourquoi c'est bien que je sois là ?

– Je ne sais pas, répondit Joentaa.

Ils gardèrent le silence.

Puis elle le déshabilla, s'assit sur lui en faisant des mouvements rythmés qui semblaient étudiés, jusqu'à ce qu'il jouisse.

Elle alla se doucher.

– Vingt-cinq, dit-elle en revenant.

Kimmo la regarda.

– J'ai vingt-cinq ans. J'ai grandi dans une famille bourgeoise. Mon père m'a violée pendant un certain temps et ma mère n'a rien remarqué, c'est pour ça que je suis partie à seize ans.

– Oui, dit Joentaa.

– C'est pas vrai, dit-elle.

Joentaa hocha la tête.

– Demain, je te raconterai un nouveau mensonge si tu veux, dit-elle.

56

Dans la nuit, aux informations, elle voit l'homme qui sourit. Une photo. Il est sorti de l'hôpital, personne ne l'a vu mais il paraît qu'il est en voie de guérison.

Elle est assise sur le lit de l'hôtel, les draps sont doux et lisses. Elle prend une pomme et une pêche dans une coupe blanche et, tout en mangeant, elle regarde une femme avec un micro devant la maison obscure où habite l'homme qui sourit. Ce que dit la femme se perd au loin et ce qui s'est passé, c'est un picotement sur sa peau.

Le hall vide.

Le regard interrogateur.

Le ciel de verre.

Rauna. Veikko. Ilmari.

Elle sent la peau de Rauna sur sa joue et elle voit Ilmari qui semble dire quelque chose. A quelques mètres d'elle, mais elle ne l'entend pas. Elle cherche son regard mais ses yeux sont fermés. Il manque une jambe. Est-ce que le ciel s'est écroulé ? demande Rauna, et elle pense : il manque une jambe. Ilmari a passé le bras autour de Veikko dont le corps gît aplati sur le sol, formant un angle inhabituel avec la tête. Il manque une jambe et Veikko dort, et l'instant d'avant, l'ordre du monde était encore intact.

Une brèche dans le ciel. Et encore une.

Rauna danse. Ilmari glisse. Veikko rit.

Qui peut comprendre, sinon elle ?

Elle est allongée dans la neige et sa main tremble quand elle la tend vers Rauna. Des sirènes et des gyrophares. Des voix fébriles. Des voix apaisantes. Elle hoche la tête, hoche la tête. Encore et encore. Sans lâcher la main de Rauna.

– Ces deux-là sont ensemble, dit une des voix.

On soulève le corps d'Ilmari, on le repose.

On soulève le corps de Veikko, on le repose.

On soulève son corps et on le porte. Les voix s'éloignent.

Rauna plane à côté d'elle, elle demande :

– Le ciel s'est écroulé ?

Un bruit de moteur.

– Décollage, dit une voix au-dessus d'elle, pour l'hôpital de Turku. Atterrissage sur une pelouse devant l'entrée principale. Vous êtes attendus.

– C'est bon, dit une autre voix.

On ferme une porte. Elle ferme les yeux.

– Revenons au studio, dit la femme dans le micro.

L'instant d'avant, pense-t-elle.

– Ça va aller, dit une voix.

L'instant d'avant.

– Tout va bien, dit la voix.

Il ne s'est passé qu'un instant.

57

Kai-Petteri Hämäläinen contemplait le plafond sur lequel jouaient des lumières et des ombres. Irene était couchée près de lui. Elle avait l'air de dormir profondément.

Le grand et le très grand passaient la nuit dans la chambre d'amis. Il y en aurait toujours un qui resterait éveillé tandis que l'autre s'installerait confortablement sur le canapé convertible sur lequel les gens normaux étaient à l'aise, mais qui était bien trop petit pour ces deux-là. Le très grand avait eu un petit rire en s'allongeant pour l'essayer.

Les koboldes étaient couchées dans leur monde bleu ciel à l'étage et dormaient ou parlaient à voix basse de ces drôles de messieurs. Elles devaient rire sans faire de bruit, car le très grand avait surgi peu après leur arrivée et avait joué à cache-cache avec elles. Il s'était caché dans l'armoire, sous le canapé et à la fin même dans la douche. Et il avait ôté ses chaussures pour ne pas salir le carrelage. Les koboldes étaient ravies, elles avaient ri aux éclats, et Kai-Petteri Hämäläinen avait fait aussi quelques grimaces avant que les deux fillettes, titubantes de fatigue, mais heureuses et rassurées, n'aillent se coucher dans leurs chemises de nuit roses.

Une drôle de soirée. Drôles de jours. Il tâta sous la couette les endroits douloureux dans son dos, sur son ventre, sur sa cicatrice. Il aurait une cicatrice, avait dit le jeune médecin en souriant.

Irene soupira et se tourna sur le côté. Il retint son souffle. Il ne voulait pas la réveiller. Il voulait être seul.

Le grand ou le très grand, un des deux, devait faire sa ronde dans la maison. Hämäläinen l'imagina devant la baie vitrée, scrutant l'obscurité, les yeux plissés, tendu.

Il regarda la lumière et l'ombre et pensa au moment où le grand lui avait dit d'entrer. « Soyez le bienvenu. » Invité dans sa propre maison. Le silence d'Irene. Le sourire inquiet des enfants. Un garde du corps d'humeur joyeuse avait trouvé des jeux amusants pour rassurer ses filles.

Il pensa au studio. Le tapis bordeaux, dessus, son bureau. La lumière des projecteurs, les fauteuils en arc de cercle. Les caméras. Des questions. Des réponses. Expliquer le monde et boire un café. Ou l'inverse. Par un matin blanc. Une douleur dans le dos et le silence d'Irene. Et les enfants jouent à cache-cache avec un homme qu'elles ne connaissent pas. Et Niskanen a refusé de venir. Sans donner de raison. Lors de la dernière tentative, il a raccroché sans laisser à l'assistante de rédaction le temps de dire son nom en entier. Tuula Palonen n'a pas eu plus de succès la dernière fois qu'elle a essayé et elle n'a plus voulu insister. Cela avait été un des thèmes de l'année, bien sûr, c'est pourquoi ils allaient passer le reportage comme prévu initialement. Avec Niskanen qui raconte qu'il veut attendre le résultat de la vérification du test antidopage.

Tuula lui avait laissé un planning qui se trouvait sur la table du salon. Il eut envie de le feuilleter. Il savait en gros ce qu'il contenait, le programme était déjà fixé et les petites feuilles jaunes avec les questions qu'il allait poser étaient soigneusement empilées sur son bureau. Animation télévisuelle dans le prompteur.

Il se leva lentement et quitta la pièce sur la pointe des pieds. La maison était plongée dans l'obscurité, il y avait juste une lumière en bas. La télévision. Il descendit l'escalier. Le très grand était assis sur l'accoudoir d'un fauteuil et regardait le show d'Hämäläinen.

Hämäläinen se dirigea vers lui sans bruit.

– C'est drôle, dit le très grand en tournant les yeux vers lui. Vous êtes à la télé et en même temps dans la pièce.

– Vous m'avez entendu venir ? demanda Hämäläinen.

Le très grand hocha la tête.

– Je n'ai fait aucun bruit, dit Hämäläinen.

– Question d'entraînement, dit le très grand. Je ne savais pas que cette émission passait si tard.

– Elle est toujours rediffusée à 1 h 30, dit Hämäläinen.

– Ah ! fit le très grand.

Hämäläinen se regarda sur l'écran, ses lèvres bougeaient. Vite et sans interruption. Sur l'écran, Hämäläinen donnait l'impression d'être détendu et de s'amuser comme un fou, à côté de lui, il y avait le médecin légiste dont il avait oublié le nom.

– Qu'est-ce que c'est que ça ? murmura le très grand.

– C'est l'émission avec les mannequins, expliqua Hämäläinen.

Le très grand suivit son regard et se tut. Bien sûr, pensa Hämäläinen. La veille de son retour, ils avaient diffusé l'émission avec Mäkelä et le médecin légiste. L'émission qui avait un rapport avec tout ça. Tuula ne lui avait pas demandé son avis. Pourquoi l'aurait-elle fait d'ailleurs ? C'était la rediffusion qui s'imposait. Le médecin légiste riait, Mäkelä riait, et le très grand demanda :

– Vous voulez que je monte le son ?

– Non, non, répondit Hämäläinen.

Il se dirigea vers la table où se trouvait le planning. Il s'était contenté d'y jeter un coup d'œil avant d'aller se coucher. Il s'assit et se mit à lire. La médaille d'or du sauteur à ski, l'inondation du siècle à Joensuu et les eSnvirons. Le hit international d'un groupe de jeunes rockers, les débordements sexuels du député conservateur. Lumière et ombre. Il lut jusqu'à ce que les lettres et les chiffres qui marquaient les minutes et les secondes que Tuula avait imparties à chaque sujet se brouillent. Il leva les yeux. Ses yeux le piquaient. Le générique défilait sur l'écran. Restez-nous fidèles. A demain.

Le très grand éteignit le téléviseur

– Vous devriez essayer de dormir, dit-il.

Hämäläinen hocha la tête.

Le très grand s'éloigna et Hämäläinen resta à moment devant l'écran vide, sans penser à rien de précis.

31 décembre

58

Kimmo Joentaa dormit une partie de la matinée et se réveilla avec la tête lourde.

Larissa avait laissé un message sur la table du salon. *Bonne année, cher Kimmo, et à tout à l'heure.*

Il reposa doucement la feuille sur la table. Dehors, les pétards commençaient à exploser prématurément.

Il se doucha, s'habilla, se fit un thé et essaya de retrouver l'idée qu'il avait eue au réveil.

Une idée qui avait un rapport avec Erkki Koivikko et ce qu'il avait dit. « La mort de notre fille remonte à quinze ans. Et sur la civière à la télévision, il y avait un homme en plastique. »

Il se rendit au bureau. Le dernier jour de l'année s'annonçait d'un bleu aussi étincelant que les jours précédents. De la neige fraîche, ouatée. Petri Grönholm était assis à son bureau, il lui annonça que Tuomas Heinonen était en arrêt maladie.

– Quoi ? s'exclama Joentaa.

– Il est malade. Il avait l'air d'avoir une grosse grippe.

– Merde, marmonna Joentaa.

– J'ai réparti tout ce que Tuomas devait faire aujourd'hui, dit Petri Grönholm.

– Hein ? Oui… oui, d'accord.

Il était indécis. Il fallait qu'il appelle Tuomas. Ou Paulina. Ou les deux. Il descendit à la cafétéria et resta un moment à côté du grand sapin de Noël qu'on devait venir enlever d'un jour à l'autre. Il vit l'accueil et l'endroit où il avait aperçu Larissa le soir de Noël. Aujourd'hui, tout était différent. A l'accueil, il y avait trois collègues, dans les couloirs régnait un brouhaha constant et Larissa était absente. Il y avait toujours une boîte de gâteaux secs sur la table. Des gâteaux en forme d'étoile. Joentaa en prit un et sentit le goût du sirop d'érable sur sa langue. Il composa le numéro. Il se demandait ce qu'il allait dire à Tuomas quand Paulina décrocha.

– Allô... Paulina, Kimmo à l'appareil.

– Kimmo, c'est gentil de téléphoner. Tuomas est... malade.

– Oui, Petri me l'a dit. C'est... Est-ce que je pourrais...

– C'est la grippe, dit Paulina. La vraie.

– Oui, dit Joentaa. Paulina... je... je suis au courant... Tu n'as pas besoin de...

– Tu es au courant de quoi ? demanda Paulina d'un ton soudain cinglant.

– Tuomas m'a parlé de... sa passion du jeu. Je croyais que tu étais...

– Tuomas a la grippe, répéta Paulina.

– Oui, je peux lui parler ?

– Il ne va pas bien.

– Je voudrais lui parler. Je voudrais vous parler à tous les deux. Je pense que vous devez faire...

Paulina garda le silence, puis éclata d'un rire strident, et Joentaa se dit qu'il n'avait aucune idée. Aucune idée de ce qui se passait avec Tuomas et Paulina, il ne pourrait pas les aider. Soudain, il eut Tuomas au bout du fil.

– Kimmo ?

– Oui, bonjour. Je voulais juste savoir comment tu vas. Si tout est... OK.

– Bien sûr, répondit Heinonen.

Joentaa resta silencieux.

– J'ai la grippe. Je dois rester ici aujourd'hui.

– Tuomas... tu as perdu ?

– La grippe. Je dois m'arrêter.

– Oui.

– Salut Kimmo.

– Je voudrais t'aider. Je crois qu'il faut que tu te dépêches de faire quelque chose pour t'en sortir.

– Bien sûr, dit Heinonen.

– Pense à Paulina. Et aux enfants.

– J'y pense.

Depuis le début de la conversation, Heinonen parlait de la même voix basse et monotone.

– Je voudrais pouvoir trouver les mots qui t'aident, dit Joentaa.

– A demain, dit Heinonen.

– Tuomas ?

Heinonen avait raccroché.

Joentaa retourna dans son bureau et pensa qu'il devait parler à Paulina. La convaincre de mettre l'argent en sécurité. Tout ce qu'ils avaient. Dans la mesure où Tuomas n'aurait plus d'argent à sa disposition, il ne pourrait plus jouer. C'était aussi simple que ça.

Il retourna au bureau. Grönholm cogitait, penché sur les dossiers. Il leva les yeux quand Joentaa entra.

– J'ai l'impression que nous tournons en rond, dit-il.

Joentaa alla s'asseoir à son bureau, attrapa la pile de copies de Päivi Holmquist et se remit à les classer.

– L'événement est récent.

– Pardon ? fit Grönholm.

– Maintenant, nous allons nous concentrer exclusivement sur les accidents les plus récents. Ceux qui ont eu lieu dans le courant de l'année, dit Joentaa.

– Mais c'est ce qu'on fait depuis le début. Moi, en tout cas, je suis parti des événements les plus récents pour remonter vers les plus anciens.

– Oui, mais désormais, nous nous concentrerons uniquement sur les événements les plus récents, dit Joentaa.

– Et pourquoi ? demanda Grönholm.

– Je ne sais pas, répondit Joentaa.

– Une réponse à la Kimmo Joentaa, dit Grönholm.

Joentaa s'assit et lut la liste de Päivi. Deux cas seulement remontaient à moins de deux ans. Deux morts dans le crash d'un avion de tourisme à Tampere, quatre victimes finlandaises dans le crash d'un avion de ligne en Estonie, une victime dans un accident de train près de Paimio. Il regarda les noms et les dates et pensa qu'ils n'avaient pas d'importance.

– Je ne sais vraiment pas si nous sommes sur la bonne voie, dit Grönholm.

Joentaa hocha la tête et pensa à Tuomas Heinonen, à la vieille femme qui faisait des pizzas, aux caissières qui riaient dans la station-service, à la route qui menait à la plage et à ce qu'Erkki Koivikko avait dit.

Ça remonte à quinze ans.

Sur la civière à la télévision...

Méconnaissables, avait dit Vaasara. Méconnaissables à coup sûr. Des copies conformes mais méconnaissables. Des draps qu'on soulevait et laissait retomber. Des hommes qui riaient.

Sur la civière à la télévision... avait dit Koivikko. Il était allé dans la salle de bains, avait vomi et regardé ensuite le reste de l'émission.

Joentaa se redressa d'un bond et Grönholm le regarda d'un air interrogatif :

– Ça va ?

– Ce n'était peut-être pas à la télévision, dit Joentaa.

– Pardon ? demanda Grönholm.

– Ça a dû être en direct.

– Ah ?

– En direct. Sans écran entre les deux, dit Joentaa.

– Ah, répéta Grönholm.

Joentaa prit le téléphone et composa le numéro de la rédactrice de *Hämäläinen*, Tuula Palonen. Personne ne répondit. Il essaya encore une fois, sans succès.

– Ce n'est pas possible, il doit bien y avoir quelqu'un, maugréa Joentaa et il réessaya quelques secondes plus tard.

– Qu'est-ce qu'il y a ? demanda Grönholm.

Il laissa sonner, sonner encore, personne ne décrocha.

– Je veux leur demander s'ils ont encore des archives de cette émission. Ils filment toujours le public.

– Quelle émission et quel public ? demanda Grönholm.

Il consulta la liste qui était mise à jour quotidiennement et sur laquelle figuraient des noms et des coordonnées importantes pour l'enquête. Mais le numéro de portable de Tuula Palonen n'y figurait pas.

– Putain, c'est pas vrai.

– Qu'est-ce qui t'arrive, Kimmo ? demanda Grönholm.

– Elle a cinq portables, un à chaque oreille, dit Joentaa.

– Elle n'a que deux oreilles, Kimmo.

– Quoi ?

– Deux. On n'a que deux oreilles, dit Grönholm.

Il composa le numéro du portable de Sundström qui décrocha aussitôt.

– Kimmo, qu'est-ce qui se passe ? demanda Sundström.

D'après le bruit de fond, il devait être en voiture.

– J'ai essayé de contacter Tuula Palonen ou un collaborateur de la rédaction de *Hämäläinen*, mais personne ne répond.

– Ça ne m'étonne pas, ils sont tous occupés à préparer l'émission de la soirée. Il va y avoir des célébrités de premier plan sur le plateau, ils sont tous excités comme des puces. Il y a du nouveau, je vais aller voir Vaasara, l'assistant et ex-compagnon de Mäkelä.

– Oui...

– Il a fait une tentative de suicide.

Joentaa garda le silence. Il pensa à la voix fatiguée, monotone au téléphone, quand il avait appelé Vaasara dans la nuit.

– En amateur. Il se porte comme un charme, dit Sundström.

– Oui, dit Joentaa.

– Il s'est ouvert les veines comme une nana, et après, il a pris peur et a appelé les secours.

Il pensa à Leena. Et au bébé, Kalle. A Patrik Laukkanen, qui avait parlé de Kalle à Hämäläinen, à sa fierté de père avant même la naissance de l'enfant.

– Avec la meilleure volonté du monde, je ne peux pas t'aider à joindre Tuula Palonen, dit Sundström.

– Mais j'ai besoin qu'elle me rende un service. Dis-lui...

– Je ne la verrai que cet après-midi.

– C'est trop tard. Tu as son numéro de portable ?

– Non.

– Putain, c'est pas vrai. Je vais rappeler la chaîne, qu'ils me trouvent quelqu'un de la rédaction.

– De quoi s'agit-il ?

– Je ne sais pas encore. A plus tard.

– Kimmo...

Joentaa raccrocha et composa aussitôt le numéro central de la chaîne. Un des portiers décrocha et dit qu'il allait le mettre en relation. Joentaa fut mis en attente, écouta de la musique classique. Violons et piano. Du coin de l'œil, il aperçut Kari Niemi qui entrait dans le bureau et se mettait à parler à Grönholm.

La musique n'en finissait pas, et Grönholm regardait Niemi comme s'il n'en croyait pas ses oreilles.

Joentaa posa le téléphone.

– Il y a du nouveau, Kari ? demanda-t-il.

Niemi hocha la tête.

– Nous avons pu distinguer autant que possible les empreintes contaminées de celles qui sont exploitables. Les jeunes garçons qui ont trouvé Patrik ont laissé des empreintes. Chaussures de sport, pointure 37 environ. Mais nous avons pu identifier un troisième profil.

– Ah ! fit Joentaa.

– Des chaussures de sport, du 38, dit Niemi.

– Ah, répéta Joentaa.

– C'était extrêmement difficile parce que les profils sont presque identiques mais, sauf erreur, le meurtrier portait des chaussures de pointure 38.

Joentaa hocha la tête.

– L'angle de perforation du couteau permet de conclure à un meurtrier de taille normale, la pointure ferait maintenant plutôt penser à un jeune, ou...

– Ou à une femme ? dit Grönholm.

– Mais d'après l'analyse de Salomon, les coups de couteau ont été donnés avec une certaine force, dit Niemi.

Joentaa hocha la tête. Une colère féroce, incontrôlable. Doublée de concentration et de patience.

Une ombre, avait dit Hämäläinen.

Du téléphone qu'il avait posé sur la table lui parvint une voix étouffée. Joentaa prit le combiné.

– Allô ? fit-il.

– Je suis désolé mais je ne peux joindre personne de la rédaction actuellement, dit le portier.

– Vous avez le numéro de portable de Tuula Palonen ? demanda Joentaa.

– Un instant.

Les violons reprirent. Puis le portier de nouveau.

– Non, dit-il.

– Non ?

– Non, je regrette.

– Merci, dit Joentaa et il composa de nouveau le numéro de portable de Sundström.

– Kimmo ?

– Il y a du nouveau, Kari est ici, dit-il.

– Oui ?

– Le profil des chaussures de sport. Pointure 38.

– Pardon ?

– 38.

– Mais c'est la pointure d'un enfant !

– Pas vraiment.

Un ombre, pensa Joentaa. Il ferma les yeux et crut voir une image. Hämäläinen était allongé dans un hall vide, silencieux et il n'avait pas peur. Aucune tentative de fuite de la part de Patrik Laukkanen. Mäkelä s'approchait en pleine nuit d'une voiture et demandait s'il pouvait être utile.

– Je vais venir à Helsinki, dit Joentaa. Je pars tout de suite. Nous avons besoin de toutes les images que la chaîne a du talk-show auquel Patrik et Mäkelä ont participé. Toutes les prises de vues des caméras. J'espère qu'elles sont encore disponibles.

– Mais pourquoi ? demanda Sundström.

– Je crois que la femme que nous cherchons était dans le public.

59

Recouvrir l'image d'un drap blanc. Sous le drap est allongé un homme. L'homme a une jambe. La jambe est un moignon. Le choix du buffet du petit déjeuner est immense.

– C'est bon ? demande Olli Latvala.

Elle hoche la tête.

– Je peux m'asseoir ? demande Olli Latvala.

– Oui… bien sûr, dit-elle.

– Je suis en avance, car nous sommes un peu juste en temps. Je dois aller tout de suite après chercher Kapanen à la gare. Le comédien qui joue le nouveau Requin dans le dernier Bond.

– Ah, fait-elle.

Ilmari aimait bien ces films. Elle en a vu quelques-uns pour lui faire plaisir. Un monde parfait, a-t-elle toujours pensé. Un monde simple, et Ilmari se vexait parce qu'elle se moquait de son enthousiasme. Un Finlandais dans le rôle du méchant, ça l'aurait sûrement intéressé.

– Ça a l'air sympa. J'ai envie de manger quelque chose. Je crois que je vais me glisser discrètement jusqu'au buffet, dit Olli Latvala.

Elle le suit des yeux.

Dans une sphère en dehors de son champ de vision, des gens rient. Ils sont près d'elle, au-dessus d'elle, au-dessous mais elle ne peut pas les voir. Elle entend seulement leurs rires. Elle essaie de rire avec eux.

On rabaisse le drap et on le soulève de nouveau. Maintenant, elle peut voir le visage. L'expression dans les yeux fermés.

Olli Latvala revient et la mit au courant du déroulement de la journée tout en engloutissant des œufs brouillés au lard.

– Dans le programme, vous êtes en cinquième position, dit-il. 21 h 15. Mais ça peut changer au dernier moment.

Elle hoche la tête.

– Nous allons faire comme ça : je viens vous chercher à l'hôtel à 17 heures et après je vous accompagnerai pratiquement jusque derrière le rideau du plateau.

– Merci, dit-elle.

– Mais je ne peux pas vous accompagner sur le plateau, dit-il, à partir de là, vous serez dans d'excellentes mains avec Kai-Petteri Hämäläinen.

Elle hoche la tête.

– Il est vraiment formidable, en particulier dans les entretiens avec des gens qui... – il s'interrompt et semble chercher les mots justes –... qui ont vécu des choses dramatiques.

– Oui, dit-elle.

– Nous sommes tous très contents qu'il puisse animer l'émission aujourd'hui. Vous savez certainement... ce qui lui est arrivé.

– Naturellement, dit-elle.

Olli Latvala vide sa tasse de café et se lève.

– Des jours comme aujourd'hui, je suis toujours un peu nerveux, excusez-moi. Je dois aller à la gare maintenant. Il ne faut pas faire attendre les comédiens, surtout quand ils ont le privilège de sauter à la gorge de Bond. A cinq heures donc ?

Elle hoche la tête.

– À tout à l'heure, dit Olli Latvala en souriant.

Et il s'en va et traverse le hall à grands pas.

60

En fin d'après-midi, Tuula arriva avec Raafael Mertaranta en personne.

Kai-Petteri Hämäläinen était dans la cuisine quand Tuula arrêta la voiture sur le terre-plein. Il vit Tuula et Mertaranta descendre et se diriger vers la maison, sous une pluie de flashs. Des journalistes tendaient leur micro au-dessus de la clôture, leur criant de leur accorder une brève interview.

Hämäläinen alla ouvrir.

– C'est pas vrai ! s'exclama Raafael Mertaranta.

– Incroyable, dit Tuula avec un large sourire, elle l'embrassa et Mertaranta lui serra la main longtemps et chaleureusement. Le grand, le très grand ainsi qu'Irene et les filles étaient derrière.

– Irene, je suis heureux de vous voir, dit Mertaranta. Il se dirigea vers elle, s'inclina et fit une ébauche de baisemain. Bonjour, les filles, dit-il aux jumelles.

– Bonjour, Raafael, dit Irene. Bonjour, Tuula.

Les deux femmes s'embrassèrent, brièvement et sans chaleur. Les deux agents se retirèrent sans un mot dans la partie arrière de la maison et Mertaranta demanda un café le plus fort possible.

– Je vais vous en préparer un, dit Irene en se dirigeant vers la cuisine.

– Tes... gardes du corps ? demanda Mertaranta.

– Hein ? Ah, oui. Pour ainsi dire. Entre, dit Hämäläinen en le précédant dans le salon. Les koboldes, vous pouvez aller jouer si vous voulez.

Les filles montèrent au premier, Tuula s'assit sur le canapé et Mertaranta se laissa tomber dans un fauteuil avec un soupir de soulagement. Hämäläinen s'assit sur le deuxième canapé et ils formèrent ainsi un triangle. On entendait la machine à café siffler et gargouiller dans la cuisine.

– Je voudrais d'abord te dire une chose, dit Mertaranta après quelques secondes de silence. Je voudrais te dire à quel point je suis content que nous puissions nous retrouver ici aujourd'hui. Et combien je suis fier, vraiment fier, et je le dis en ayant conscience que tu es le... le fleuron de notre émission.

– Merci, dit Hämäläinen.

Il s'attendait à ressentir une certaine fierté mais ce ne fut pas le cas. Il était fréquent que Mertaranta prononce ce genre de phrases. C'était le rôle primordial d'un directeur de chaîne de soigner son présentateur vedette, de l'aider à passer les moments difficiles et d'être le premier à le féliciter à ses heures de gloire.

Kai-Petteri Hämäläinen le savait, il avait appris à considérer cela comme quelque chose d'évident et en général, il en tirait une certaine fierté. Mais aujourd'hui, il n'y arrivait pas.

– Merci, répéta-t-il et Irene entra en portant un plateau avec des tasses blanches et une cafetière blanche fumante.

Ils burent. Reposèrent les tasses. Puis Tuula se mit à expliquer la stratégie que Mertaranta et elle avaient élaborée.

– Nous allons procéder ainsi : Tu vas te rendre au studio tout à l'heure avec les deux agents. Ne fronce pas le nez, s'il te plaît, si je te dis de sourire.

– Sourire, dit Hämäläinen, sans froncer le nez.

– Oui, sourire. Donner l'impression que tout va bien. Et évidemment, tu ne dis rien, tu descends de voiture et tu gardes le silence jusqu'à ce que l'émission commence.

Donner l'impression que tout va bien...

– Je t'ai rédigé ta première phrase, spécialement pour toi, dit Tuula.

– Que ferais-je sans toi ? dit Hämäläinen.

Irene s'éclaircit la voix et demanda s'ils voulaient encore du café.

– Volontiers, dit Mertaranta.

– Je sais que c'est peut-être un peu fatigant de discuter de tout ça, mais nous sommes tous d'avis que nous... devrions en tirer le meilleur parti, dit Tuula.

– Bien sûr, dit Hämäläinen.

– Ce que tu vas faire aujourd'hui, c'est quelque chose de formidable et d'exceptionnel et nous voulons que cela se sente, dit Tuula. D'accord ?

Il n'y eut pas d'objection.

– Donc, tu montes en voiture, on te conduit à la chaîne, tu descends et tu te comportes exactement comme maintenant – sourire et ne rien dire –, puis tu te retires dans ton bureau et nous revoyons ensemble le déroulement définitif de l'émission et la série de questions. Les derniers entretiens préliminaires, tu t'en passeras, Olli Latvala et Margot Lind se chargeront du briefing des invités.

Hämäläinen hocha la tête.

– Ça m'a l'air parfait, dit-il.

Tuula se renversa dans le canapé, soulagée.

– Ce café est délicieux, Irene, dit Raafael Mertaranta.

61

La tour de verre se détachait sur le ciel bleu. Kimmo Joentaa entra dans le bâtiment par les grandes portes battantes. Un des portiers le salua et essaya de joindre Tuula Palonen, mais elle n'était pas dans son bureau. Il essaya une seconde fois et tomba sur un de ses collaborateurs. Après une brève conversation, le portier raccrocha et dit :

– Il arrive. Vous pouvez attendre dans la cafétéria.

– Merci, dit Joentaa.

Il franchit une autre porte et entra dans le vaste hall. L'endroit où Hämäläinen avait été poignardé était encore entouré d'un cordon jaune de sécurité, cela faisait penser à une pièce d'exposition ou à l'installation d'un artiste dont le sens n'était pas évident. Il passa à côté pour aller dans la cafétéria et s'assit à une des tables libres. Peu après, un jeune homme vint vers lui d'un pas rapide et assuré.

– Olli Latvala, dit-il. Vous êtes le monsieur de la police ?

– Oui. Kimmo Joentaa.

– Nous ne nous sommes pas encore rencontrés, je crois.

– En effet.

– Ces derniers jours, j'ai été tout le temps occupé avec la planification de la rétrospective de fin d'année. C'est pour ça que je suis un peu sous pression. Vous voulez parler à Tuula ?

– Oui. Mais... vous pouvez peut-être m'aider aussi bien qu'elle, dit Joentaa.

– Avec plaisir.

– C'est à propos de l'émission avec Harri Mäkelä et Patrik Laukkanen, le médecin légiste.

– Oui...

– Je voudrais visionner tout le matériel dont vous disposez. Ce qui m'intéresse particulièrement, c'est le public.

– Le public ?

– Oui. Il y a bien une caméra toujours dirigée vers le public, non ? Pour capter les réactions.

– Ah... Oui, bien sûr...

– Est-ce que ce matériel est disponible ? Est-ce qu'il est archivé quelque part ?

– Euh... Vous allez rire mais je n'en ai aucune idée. Je m'occupe de la programmation de l'émission et de ce qui se passe après. L'émission elle-même est confiée à d'autres mains. Il faudrait que je demande au réalisateur ou au monteur.

– Ce serait bien. C'est assez urgent. Et j'ai encore une question : est-ce que les noms des spectateurs sont enregistrés ?

– Pardon ?

– Vous avez des listes avec les noms des spectateurs ?

– Non. A moins qu'il ne s'agisse d'une commande. Dans ce cas, nous avons les coordonnées des gens car nous devons envoyer les invitations par courrier. Mais on peut aussi venir spontanément et demander s'il reste une place dans le studio.

– Bon. J'aimerais avoir aussi ces listes.

– Je comprends. Je vous propose de boire encore un ou deux cafés pendant que j'essaie de vous procurer le matériel en question.

– Bien, fit Joentaa.

– Parfait, je reviens dans un quart d'heure, dit Olli Latvala.

Il se dirigea d'un pas résolu vers les ascenseurs, le long du cordon de sécurité, et Joentaa s'appuya contre le dossier de sa chaise.

La serveuse s'approcha et essuya sa table.

– Vous désirez quelque chose ? demanda-t-elle.

– Euh... un thé, dit Joentaa. A la menthe. Non... à la camomille, s'il vous plaît.

62

Un jour d'hiver ensoleillé. Comme à l'époque.

Il y a longtemps. Une éternité s'est écoulée, la prochaine commence et, comme la précédente, elle ne dure qu'un instant.

– Tout va bien, dit une voix.

– Le ciel s'est écroulé ? demande Rauna.

– Tout va bien, dit une voix.

– Oui, dit-elle.

Par la fenêtre, elle voit la mer, et un café où elle était allée avec Ilmari et Veikko. Chaque fois qu'ils se rendaient à Helsinski, ils allaient dans ce café. Veikko veut une glace, bien qu'on soit en hiver. Ilmari prend un gâteau au fromage. Veikko veut une glace et pleure parce qu'à la place on lui apporte un chocolat chaud. Elle louche en direction du comptoir et des cornets de glace, et Ilmari lui lance un regard sévère. Le chocolat de Veikko, le gâteau au fromage d'Ilmari. Elle boit un thé et donne à Veikko le petit gâteau sec et rond qui se trouve sur la soucoupe.

La mer est gelée.

Le ciel est si bleu qu'il fait mal aux yeux.

Rauna danse et tourne sur elle-même, Veikko rit, Rauna tourne de plus en plus vite et Veikko rit de plus en plus fort.

Ilmari trébuche.

– Tu t'es fait mal ? lui crie-t-elle.

Ilmari fait signe que non. Il est toujours mal à l'aise dans ce genre de situation, il se relève et Veikko rit, Rauna rit, et le ciel s'écroule.

Ilmari se baisse, elle cherche son regard mais elle ne le trouve plus, et Olli Latvala vient la chercher. Bientôt. Dans une éternité. A cinq heures.

63

Un quart d'heure plus tard, Olli Latvala revint et il se passa encore dix minutes avant que Kimmo Joentaa se retrouve assis dans une pièce en verre aux confins du ciel.

– Pas mal, hein ? Raafael Mertaranta, notre directeur, est le seul à avoir son bureau un étage au-dessus, dit Olli Latvala.

Joentaa hocha la tête.

– Mais je dois partir, désolé, Tuulikki va tout vous montrer. Elle s'y connaît beaucoup mieux que moi de toute manière dans tous ces trucs techniques.

La poignée de main de la jeune femme mince qui se tenait à côté de Latvala était à peine perceptible et son visage inexpressif.

– Bonjour, dit-elle.

– Bonjour, dit Joentaa.

– Vous avez de la chance, nous avons pu retrouver la version longue de l'émission, c'est-à-dire la version originale intégrale, et quelques-unes des bandes avec le matériel de montage, dit Latvala.

–Ah... fit Joentaa.

– Je dois encore me procurer les listes avec les noms et les adresses. Le mieux serait que vous commenciez à visionnier tout ça avec Tuulikki. Bonne chance.

– Oui. Merci, dit Joentaa, mais Olli Latvala était déjà hors de portée de voix dans le couloir.

– La version originale ? demanda Tuulikki.

– Hum ? Ah... Y a-t-il une cassette sur laquelle on ne voit que le public ? demanda Joentaa.

Elle le regarda comme s'il était un extra-terrestre.

– Que le public ? répéta-t-elle avec une moue de dégoût.

– Oui, c'est ce que je cherche

– Le mieux serait que vous regardiez d'abord la version originale, pendant ce temps-là, je vais vous chercher le matériel de la caméra manuelle.

– Ah... bon.

– Le public est filmé par la caméra manuelle, expliqua-t-elle.

Joentaa hocha la tête. Elle appuya sur différents boutons, de la musique se fit entendre et sur l'écran situé la baie vitrée à hauteur du ciel et des rares nuages, Kai-Petteri Hämäläinen salua ses invités.

64

La maison bleue et plate semblait abandonnée, un mètre de neige recouvrait le chemin d'accès, la boîte aux lettres débordait. Une ambulance était stationnée le long de la route, une jeune doctoresse ouvrit la porte et fit entrer Sundström.

Nuutti Vaasara était assis sur le canapé du salon, il avait les avant-bras bandés, il les salua d'une voix qui semblait épuisée, Sundström pensa à Hämäläinen et ne put s'empêcher de se demander pourquoi, depuis quelque temps, il avait toujours affaire à des gens qui survivaient au lieu d'être morts.

– Comment allez-vous, monsieur Vaasara ? demanda-t-il.

– Bien, je crois. Autant qu'il est possible dans ces circonstances.

Il lança un coup d'œil en direction de la doctoresse qui sourit et acquiesça. A côté de Vaasara était agenouillé un infirmier qui rangeait sa trousse.

– Oui, vraiment, dit la doctoresse. Le mieux possible. Il était temps... – elle se tourna vers Vaasara et dit :vous avez fait le bon choix au bon moment. En nous appelant.

Vaasara hocha la tête.

– Est-ce que vous seriez d'accord pour que je vous pose quelques questions ? dit Sundström.

– Certainement, dit Vaasara.

– Nous y allons, dit la doctoresse. N'oubliez pas le rendez-vous demain, monsieur Vaasara.

Vaasara hocha la tête.

– Merci, dit-il.

– Au revoir, et portez-vous bien, dit la doctoresse.

– Oui, portez-vous bien, marmonna l'infirmier.

Vaasara hocha la tête.

Ils se retrouvèrent seuls, Sundström s'assit et, en regardant Nuutti Vaasara effondré, il eut une vague nausée à l'idée de tout ce qu'il savait de lui. Nuutti Vaasara, né le 25 juin 1971, passe son enfance à Hanko entre une mère légèrement débile et un père sujet à des accès de colère, selon les circonstances. Il interrompt sa scolarité en seconde, quitte le domicile familial et disparaît pendant deux ans sous prétexte de voir le monde, alors que les rares membres de sa famille et ses proches encore vivants s'étonnent toujours, vingt ans plus tard, qu'il ait pu entreprendre ce voyage sans argent.

Vaasara avait rencontré Harri Mäkelä en mars 1990, lors d'un séminaire à l'université qu'il n'était pas autorisé à suivre. Depuis, ils avaient travaillé et habité ensemble. En couple. Sundström avait beau s'efforcer de se montrer ouvert et libéral, cette idée lui retournait systématiquement l'estomac. Des hommes avec des hommes. Nus et en train de faire allez savoir quoi. Maudite culture luthéro-chrétienne.

Vaasara se doutait-il que son homosexualité jouissait d'une petite mention dans le dossier ? Les médias people avaient échafaudé diverses théories fumeuses à ce propos, mais Nuutti Vaasara ne lisait sans doute pas les journaux et il devait être loin de se douter que, dans cette vaste battue particulièrement efficace qu'on appelle une enquête, il était dans le peloton de tête sur la liste des suspects.

Il était assis là, le regard tourné vers le mur et vers un monde lointain, les bras bandés posés sur ses genoux.

Sundström se racla la gorge, contempla cet homme grand et maigre, et Vaasara leva les yeux.

– Est-ce que vous chaussez du 38, monsieur Vaasara ? demanda Sundström.

Vaasara resta longtemps sans répondre.

– Non, dit-il enfin sans le moindre signe d'irritation, d'ironie ou d'amusement dans la voix.

65

Raafael Mertaranta lui fit de loin le baisemain avant de monter dans l'ascenseur et de disparaître.

Tuula Palonen fit demi-tour et alla à la cantine. Elle eut un petit coup au cœur en longeant la surface fermée par le cordon de sécurité, le carré de sol lisse sur lequel Kai-Petteri avait été entre la vie et la mort. Cette idée était irréelle.

Elle prit une soupe à l'avocat, un risotto et en dessert une crème rose garnie de framboises qui avait l'air très crémeuse mais appétissante. Avec un verre d'eau et un café noir.

Elle s'assit à une table à l'écart, mangea rapidement, elle était tellement absorbée en pensée par le déroulement des heures à venir qu'elle percevait à peine le goût des aliments.

A la fin, elle rapprocha d'elle la crème à la framboise et le café, sortit le planning et un stylo rouge de son sac. Elle se mit à lire, prenant de temps en temps une bouchée de crème, une gorgée de café, et elle marqua d'une croix les tâches déjà accomplies.

A un moment, elle s'arrêta un instant et pensa au policier, Joentaa. Il fallait qu'elle l'appelle et lui dise qu'il n'y avait eu aucune réaction particulière à l'interview avec Mäkelä et le médecin légiste. Aucune lettre de menace ni rien de ce genre. Bien sûr que non. Ils avaient reçu un nombreux courrier pour les féliciter des informations contenues dans leur émission, et les expéditeurs les avaient remerciés, mais ce n'était pas ce que cherchait Joentaa. Elle se demanda d'ailleurs ce qu'il cherchait et pensa aux questions énigmatiques qu'il avait posées, à propos des mannequins et des causes de mort imaginaires.

Elle contempla le planning, les inserts et intros, et son regard s'arrêta une fois de plus sur le cinquième grand sujet.

Elle pensa à Harri Mäkelä. A la soirée joyeuse et bien arrosée qui avait suivi l'émission. Mäkelä, qui vidait une bière après l'autre et racontait sa vie. Un accident d'avion qui n'en était pas un. Elle se souvenait qu'elle n'avait pas vraiment compris ce qu'il voulait dire. Mais peut-être que cela pourrait intéresser ce policier taciturne. Joentaa.

Elle se proposa de l'appeler dès qu'elle aurait une seconde et prit une dernière cuillerée de crème à la framboise. Elle finit sa tasse de café, traversa le hall, passa près du carré délimité en jaune, alla jusqu'aux ascenseurs et monta au douzième. Dans le bureau du grand studio du talk-show *Hämäläinen*, Margot Lind était au téléphone.

– Olli te cherche, dit-elle en raccrochant, et un de ces policiers a téléphoné. Plus exactement quelqu'un de la réception, pour nous dire qu'il ne pouvait pas nous passer le policier et que celui-ci demandait qu'on le rappelle.

– Ah, fit Tuula Palonen.

– Attends, j'ai noté le nom. Joentaa, de Turku.

Joentaa, pensa Tuula Palonen. Joentaa, l'emmerdeur. Au même moment, Olli Latvala entra dans le bureau, plein d'entrain et confiant, comme toujours, et dit :

– Il y a un policier qui te cherche. Joentaa.

Margot Lind se mit à rire.

– Il a de la suite dans les idées, celui-là.

– Pourquoi ? demanda Latvala.

– C'est bon, je l'appelle, dit Tuula Palonen. Donne-moi le numéro, Margot.

– Pas la peine. Il est déjà là. En haut, avec les monteurs, il consulte des archives.

– Ah, dit Tuula Palonen. Et quelles archives ?

– La version originale de l'émission avec Mäkelä et le médecin légiste. Et tout ce qu'on a pu trouver d'autre. Des prises de vues de la caméra manuelle par exemple.

– Ah, fit Tuula Palonen.

– Il voulait surtout voir des prises du public, dit Latvala.

– Ah, dit Tuula Palonen. Bon, je monte le voir.

– Ce n'est pas la peine. Si j'ai bien compris, j'ai pu lui fournir tout ce qu'il voulait, dit Latvala.

– Ah. Tant mieux, dit Tuula Palonen.

– Si tu as le temps, j'aimerais te parler d'une ou deux idées à propos du décor, dit Olli Latvala.

– Bien sûr, dit-elle, et Latvala s'assit à côté d'elle.

Elle pensa de nouveau à Harri Mäkelä qui leur avait envoyé ce mannequin pas possible. Ça n'allait pas du tout. Ils avaient dû l'enlever, le jour de l'émission, mais Mäkelä s'était chargé de le remplacer. Et le soir, après la dixième bière et le quatrième schnaps, il avait expliqué qu'il y avait eu un petit malentendu. Il valait peut-être mieux qu'elle monte voir ce que faisait Joentaa. Des archives. Des prises de vues du public.

– Hé… Tuula, tu m'écoutes ? demanda Olli Latvala.

– Euh… Oui, bien sûr.

– Alors… tu as entendu ce que j'ai dit ?

– Recommence au début, s'il te plaît, dit-elle.

– Alors, l'idée, c'est que Kai-Petteri utilise tantôt le canapé tout seul, tantôt le canapé et les fauteuils, selon le sujet, dit Latvala. En tout cas, les sauteurs à ski, je les mettrai sur le canapé, surtout qu'ils vont apporter leurs skis…

– Pardon ? demanda Tuula Palonen, absente.

– Leurs skis.

– Ils vont venir sur le plateau avec leurs skis ?

– Oui, c'est à cause des contrats avec les sponsors. Et Kai-Petteri est censé leur poser quelques questions sur la texture des skis et cætera, et les skis de saut sont très longs, c'est pour ça que l'ensemble, fauteuils et bureau, ça ne convient pas. Tu comprends ?

– Bien sûr, dit Tuula Palonen.

– Le problème, c'est que le sujet suivant est prévu aussi sur le canapé, du coup, on va avoir un point fixe et moi, j'ai suggéré qu'on prenne les sauteurs à ski systématiquement avec la caméra manuelle, mais la régie a refusé.

– Oui, dit Tuula Palonen.

– Tu devrais essayer de parler avec eux.
– D'accord, dit Tuula Palonen.

66

Le grand était au volant, le très grand à côté de lui sur le siège arrière, et le jour d'hiver ensoleillé s'effaçait devant le crépuscule. Le grand se tenait droit et se taisait, le très grand se tenait droit et se taisait. On n'aurait jamais pensé que le très grand avait joué la veille à cache-cache avec les jumelles comme un enfant. Les champions de la métamorphose, pensa Hämäläinen, et il pensa à la soirée qui approchait et à la petite amie espagnole qu'il avait eue, dans une autre vie, bien avant.

Jusque-là, il s'était consolé en pensant qu'elle l'avait quitté à cause de l'hiver finlandais et pas pour des raisons plus personnelles. L'Espagnole était venue le voir une fois, elle avait passé allègrement la frontière avec une veste d'été et quand ils avaient attendu le bus dans le froid et l'obscurité, elle avait demandé si le soleil se couchait toujours aussi tôt en Finlande. Seulement en hiver, avait répondu Hämäläinen et, une semaine plus tard, elle avait pris l'avion pour rentrer chez elle et elle n'était jamais revenue.

– Il fait drôlement sombre dehors, dit Hämäläinen, et le très grand ouvrit de grands yeux.

– Si on pense qu'il y a un quart d'heure, il y avait encore du soleil, ajouta Hämäläinen.

67

Elle va nager. Au-dessus de l'entrée est écrit « Oasis de bien-être », et devant, il y a un homme portant l'uniforme de l'hôtel qui lui demande son numéro de chambre. Elle prend la clé dans son peignoir de bain et le lui dit.

– Soyez la bienvenue, dit l'homme et il commence à énumérer les différents saunas, bains de vapeur et toutes sortes de massages parmi lesquels elle peut choisir.

– Je veux juste nager, dit-elle.

– Volontiers, dit-il en la conduisant à la piscine.

L'eau clapote doucement, sous une lumière tamisée, elle a l'air très calme.

– Merci, dit-elle et l'homme se retire.

Elle enlève son peignoir de bain et le pose soigneusement sur une des chaises longues. Puis elle reste quelques minutes sous la douche. Elle entend quelqu'un plonger. Elle sort de la douche et se dirige vers le bassin sur le carrelage froid et lisse. Un homme est en train de sortir de l'eau, il s'arrête en la voyant. Il a l'air gêné, peut-être parce qu'elle est nue. Elle n'a pas emporté de maillot de bain, elle n'avait pas pensé qu'elle pourrait nager.

– *Hi there*, dit l'homme.

Elle voudrait bien lui expliquer pourquoi elle n'a pas de maillot de bain mais elle n'a pas parlé anglais depuis longtemps et les mots lui manquent.

– *Hi*, fait-elle simplement.

– *See you later*, dit l'homme en s'éloignant et elle se laisse glisser dans l'eau.

Elle plonge sous l'eau et se laisse envelopper comme dans une couverture par le bleu froid et lourd, jusqu'à ce que la vie l'oblige à remonter à la surface.

68

– J'avais bien besoin de quelqu'un comme vous aujourd'hui, dit Tuulikki.

– Pardon ? dit Joentaa en détournant les yeux de l'écran.

– Rien, dit Tuulikki.

– Pourriez-vous revenir quelques minutes en arrière ? A l'endroit où la caméra commence son travelling sur le public.

– Pas de problème, dit Tuulikki.

Joentaa regarde avec attention les images qui défilent et dit au bout d'un moment :

– Stop, ça commence là, je crois.

Tuulikki remet la bande en marche.

– Exactement, dit Joentaa en se penchant en avant.

Sur l'écran, on voyait des gens assis côté à côte, qui écoutaient religieusement Patrik Laukkanen, lequel n'était pas sur l'image, mais sa voix remplissait l'espace. Joentaa pensa à Leena Jauhiainen, au bébé, Kalle, et il vit le public qui réagissait de manière curieusement homogène aux paroles que prononçait Patrik Laukkanen. Un rire collectif, une gravité collective. Patrik Laukkanen avait une manière à la fois captivante et instructive de raconter. Puis Mäkelä fut convié sur le plateau. La caméra manuelle resta sur le public qui applaudissait.

Joentaa se pencha encore plus en avant car sur le plateau que l'on ne voyait pas commençait la conversation sur les mannequins. Hämäläinen posa des questions sur le ton de la conversation et Mäkelä dit : « Un cadavre carbonisé n'est pas égal à un autre. »

De temps en temps, Patrik Laukkanen faisait une remarque, et la caméra manuelle balayait les gens qui faisaient des grimaces, qui riaient ou avaient l'air fascinés, l'atmosphère changeait d'une seconde à l'autre.

– Les jambes sont repliées, dit Mäkelä, les bras tendus vers le haut.

– La médecine légale peut tout à fait travailler avec ça, il est par exemple possible de déterminer quelles parties du corps ont pris feu en premier et où les flammes se sont propagées, expliqua Patrik Laukkanen.

Hämäläinen posa une question et Laukkanen répondit :

– Les organes internes sont souvent très bien conservés chez les victimes d'incendie, c'est caractéristique.

Hämäläinen passa au mannequin suivant. Parmi le public, certains détournèrent les yeux, d'autres au contraire avaient les yeux rivés sur le plateau, fascinés.

– Que c'est mignon, dit Mäkelä.

Hämäläinen se mit à rire.

– Ce charmant tissu sur les hanches, je veux dire, il n'était pas là quand j'ai fabriqué le mannequin, dit Mäkelä.

Il y eut un bref instant de silence.

Hämäläinen prit un ton grave, sans doute pour cacher le bref moment de gêne.

– Nous voyons donc ici la victime d'un accident d'avion, dit Hämäläinen.

Il y eut de nouveau un bref silence et Mäkelä s'éclaircit la gorge. Joentaa le perçut à peine parce qu'il se concentrait sur les visages des spectateurs. Horrifiés, amusés, dégoûtés, intéressés. L'homogénéité était abolie et quand même préservée. Les spectateurs choisissaient parmi une palette de réactions possibles. Mais aucun ne détonnait.

Hormis Erkki Koivikko, assis sur le canapé de son salon. Se lever, aller dans la salle de bains, vomir.

Joentaa plissa les yeux et Mäkelä fit une autre blague sur le drap qui recouvrait les parties intimes du cadavre.

Le public rit. Redevenu homogène. La caméra manuelle resta quelques secondes sur un plan d'ensemble avant d'être portée dans la foule et de recommencer à balayer les visages.

– Stop, dit Joentaa.

Tuulikki se pencha en avant, de manière délibérément lente et appuya sur un bouton.

– En arrière, dit Joentaa.

Tuulikki rembobina.

– Stop, dit Joentaa.

Il contempla l'image fixe.

Neuf personnes assises les unes à côté des autres ou au-dessus des autres.

Huit riaient. Quatre d'un rire sonore et spontané. Deux adolescents et deux jeunes gens. Une femme plus âgée avait un rire un peu forcé, un homme vêtu avec élégance riait d'un air absent, en pensées, il était ailleurs. La femme à côté de lui avait un rire hystérique et un homme aux cheveux blancs gloussait, avec des larmes aux yeux.

Joentaa se pencha en arrière. Il observa la femme grande et mince qui était au milieu. Elle portait une robe simple et sombre. Il resta quelques minutes immobile.

– Et maintenant, qu'est-ce qu'on fait ? demanda Tuulikki.

Joentaa ne percevait la voix que vaguement.

– Hé ? dit Tuulikki.

– Excusez-moi, dit Joentaa.

– Je dois bientôt redescendre dans le studio. Il y a une réunion avant l'émission pour déterminer les positions des caméras. Et ça fait... une éternité que nous sommes ici.

– Oui, dit Joentaa.

Une éternité, pensa-t-il. Le mot résonnait dans sa tête.

– Que voyez-vous ? demanda-t-il.

– Ce que je vois ? demanda Tuulikki.

– Oui.

– Je vois des gens dans le public que Kai-Petteri fait mourir de rire. Ou le type qui fabrique les mannequins... Mäkelä. Sans doute des deux.

– Oui, dit Joentaa.

Il regardait la femme assise bien droite au milieu de l'image. Un sourire figé sur une image figée.

– Est-ce que vous pouvez remettre l'image en route tout doucement, s'il vous plaît ? dit-il.

– Pas de problème, dit Tuulikki.

L'image avança, au ralenti. Joentaa ressentit une douleur derrière ses yeux et Tuulikki dit :

– La femme du milieu n'a pas l'air de s'amuser beaucoup.

Joentaa hocha la tête.

– Oh ! là là ! fit Tuulikki.

Dans leur dos, la porte s'ouvrit mais ni Joentaa ni Tuulikki ne pouvaient détacher leur regard de l'écran.

– C'est la mort en personne, dit Tuulikki.

– J'espère que vous ne parlez pas de moi, dit Tuula Palonen en riant.

69

Marko Westerberg prit note des commentaires acerbes avec sa nonchalance habituelle. La plupart semblaient de toute manière plutôt s'amuser des mesures de sécurité et d'ailleurs, Westerberg lui-même s'en amusait.

Il avait toujours eu beaucoup d'estime pour Paavo Sundström, mais il ne comprenait pas du tout ce qui lui avait pris. Sundström avait en effet tenu à ce que soit installé à l'entrée un périmètre de sécurité qui ressemblait plus à une porte d'embarquement qu'à un studio de télévision.

Les spectateurs de l'émission qui commençaient doucement à arriver, parmi lesquels des célébrités de toute catégorie, fronçaient généralement les sourcils avant de se résoudre à trouver tout ça drôle, et les agents s'efforçaient d'accomplir leur tâche avec le sérieux requis, tandis que des caméras surgissaient de tous les côtés pour enregistrer la procédure contrairement à ce qui avait été convenu. Sans doute pour la diffuser dans le grand show et pour montrer à tous l'importance qu'on accordait à leur super *Hämäläinen*.

Westerberg enfonça ses mains dans les poches de sa veste ressortie pour la circonstance et resta un moment à regarder les rangées de fauteuils se remplir peu à peu. Juste derrière la porte d'embarquement, on offrait des apéritifs et de petits amuse-gueule, des gâteaux de riz karjalais avec un beurre d'œuf.

Son portable sonna. C'était Sundström.

– Tout va bien de votre côté ? demanda-t-il.

– Oui. Sauf qu'ils filment tous azimuts, dit Westerberg.

– On s'y attendait. Ça ne fait rien, dit Sundström. Hämäläinen est déjà là ?

– Pas encore. Mais il va arriver d'un moment à l'autre, à ce qu'on m'a dit.

– Bien. J'arrive moi aussi, à tout à l'heure.

Une des jeunes et jolies rédactrices, Margot Lind, si ses souvenirs étaient exacts, s'approcha, les yeux brillants.

– Est-ce que nous pourrions vous convaincre de nous accorder une petite interview ? Etant donné ces circonstances particulières.

– Désolé, répondit-il. Et veillez à ce que les visages des agents qui sont filmés ici ne soient pas retransmis. Cela fait clairement partie de nos accords.

Elle hocha la tête, elle allait dire quelque chose mais elle se tourna soudain vers les flashs qui, derrière les vitres, illuminèrent soudain la nuit.

– Ce doit être Kai-Petteri , dit-elle.

Westerberg suivit son regard dirigé vers le hall d'entrée. Hämäläinen franchit les larges portes battantes et, flanqué des deux gardes du corps qui lui avaient été attribués, se dirigea d'un pas ferme vers les ascenseurs.

Ils montèrent tous les trois, les portes se refermèrent et dehors, les flashs crépitèrent encore quelques minutes jusqu'à ce que la nouvelle se répande que l'objet censé être photographié n'était plus là.

70

– Je… dérange ? demanda Tuula Palonen.

Ni l'un ni l'autre ne réagirent. Tuulikki et le policier, Joentaa, avaient les yeux rivés sur l'écran sur lequel Tuula Palonen ne distinguait rien d'extraordinaire.

Elle s'approcha. Le public. Les prises de vues de la caméra manuelles. Des gens qui riaient.

– Il y a quelque chose de… particulier ? demanda-t-elle et comme ni Joentaa ni Tuulikki ne réagissaient, elle ajouta : Je dois redescendre tout de suite. On a commencé à faire entrer les gens. Et Kai-Petteri va être là d'une seconde à l'autre.

Joentaa garda le silence. Tuulikki garda le silence.

– Vous me cherchiez ? demanda Tuula Palonen.

– Ce n'est plus la peine, dit Joentaa.

– Nous n'avons reçu aucune lettre susceptible de vous intéresser, dit Tuula Palonen dans le seul but d'amener Joentaa à lever enfin les yeux de l'écran et à se tourner vers elle.

– Qu'est-ce que vous dites ?

– Vous m'aviez priée de demander s'il y avait eu des réactions à l'émission, des lettres qui auraient attaqué à Kai-Petteri ou les autres interlocuteurs.

– Oui, dit Joentaa.

– Il n'y en a pas eu, dit Tuula Palonen.

– Oui, merci, dit Joentaa.

Il n'avait pas l'air d'avoir entendu.

– Mais j'ai pensé à quelque chose qui pourrait vous intéresser, dit-elle.

– Oui ? demanda Joentaa.

– D'une manière ou d'une autre, les causes de la mort étaient importantes, n'est-ce pas ?

Joentaa la regarda enfin.

– Vous vouliez savoir s'il y a eu des lettres qui parlaient de… la cause de la mort… La cause de la mort des… mannequins.

Joentaa hocha la tête.

– Nous n'avions pas reçu de courrier de ce genre, je vous l'ai dit, mais le jour de l'émission, il y a eu une… complication qui m'est revenue seulement aujourd'hui.

– Oui ? dit Joentaa, soudain attentif.

– Mäkelä nous avait fourni trois mannequins, nous en avions parlé avant et nous étions convenus de trois mannequins précis pour donner une image aussi complète que possible du travail d'un fabricant de cadavres…

– Oui, dit Joentaa.

– Le problème, c'est que Mäkelä a fourni un mannequin que nous ne pouvions pas utiliser. La victime d'un accident d'avion, mais c'était une petite fille.

– Oui, dit Joentaa.

– Il nous était impossible de montrer une petite fille dans cette émission, dit Tuula Palonen. Vous comprenez ?

– Pas vraiment, répondit Joentaa.

– Nous ne pouvions pas exhiber une petite fille morte. Nous avons mis le mannequin de côté et demandé à Mäkelä de trouver autre chose. Nous voulions trois exemples, mais pas cette petite fille. C'était un peu la panique. Mäkelä nous a fourni un homme et nous pensions que le mannequin était vraiment la victime d'un accident d'avion. Mais en réalité, il avait été conçu pour un film qui était une reconstitution de l'effondrement du toit de la patinoire de Turku.

Joentaa hocha la tête, mais il ne comprenait pas. Il avait le vertige. Une fillette. Un accident d'avion.

Un homme, une patinoire.

– Je ne comprends pas vraiment, dit-il.

– Après l'émission, nous sommes allés boire quelque chose, Mäkelä, le médecin légiste et Margot Lind. Et moi.

– Oui, dit Joentaa.

– Là, à un moment, Mäkelä a commencé à parler de manière incontrôlée de ses mannequins. Il a dit qu'il avait été perturbé pendant l'émission parce que le mannequin que Kai-Petteri avait présenté comme une victime d'un accident d'avion était mort, en fait… d'autre chose. Il a dit qu'il n'avait pas voulu brusquer Kai-Petteri à ce moment-là et qu'en fin de compte, ça n'avait pas d'importance parce que les caractéristiques sont parfois les mêmes, que l'on se précipite au-devant de la mort ou que ce soit la mort qui vous tombe dessus.

Joentaa hocha la tête. Il mit quelques secondes à comprendre la comparaison.

– C'est comme ça qu'il l'a formulé. Les cadavres ont la même apparence, qu'ils soient morts dans un accident d'avion ou à la suite de l'effondrement d'un bâtiment. Comme dans le cas de la patinoire.

Patinoire, pensa Joentaa.

– Vous comprenez ?

– Non, répondit Joentaa.

Patinoire, pensa-t-il. Turku.

– Donc le mannequin qu'il nous a fourni in extremis avait été conçu pour un docufiction. L'accident de la patinoire de Turku, le toit s'est effondré. C'était un gros truc, au début de l'année.

Joentaa hocha la tête. Les archives de Mäkelä. CadavresModèles. Il se leva et saisit son sac à dos. Le CD que le collègue d'Helsinki avait eu la gentillesse de lui graver se trouvait dans la poche latérale.

– Ce n'est sûrement pas important, dit Tuula Palonen, mais je voulais vous le dire puisque vous vous… intéressiez à cet aspect des choses.

– Oui, merci, dit Joentaa en regardant autour de lui. Je voudrais visionner un CD. C'est possible sur cet ordinateur ? demanda-t-il en désignant la machine qui se trouvait sur un côté du bureau.

– Bien sûr, dit Tuulikki.

Elle prit le CD et l'introduisit dans le lecteur.

Le portable de Tuula Palonen joua sa symphonie.

– Allô ? Oui, super, j'arrive.

– Il n'y a que des photos dessus, dit Tuulikki.

Joentaa s'assit au bureau à côté d'elle.

Patinoire, Turku, pensa-t-il. L'accident avait fait la une des médias. Au début de l'année. Pendant quelques jours, il avait enquêté sur place jusqu'à ce que le vague soupçon de meurtre prémédité soit écarté. Un malheur. Une tragédie.

Il pensa au veuf enjoué qui avait emménagé dans une maison vide. Habitué aux tragédies.

– Il faut que je descende, Kai-Petteri est arrivé, dit Tuula Palonen. A plus tard.

– A plus tard, répondit Joentaa.

– Vous voulez ouvrir un dossier particulier ? demanda Tuulikki.

– Pourquoi un homme mort est-il préférable à une petite fille morte ? demanda Joentaa.

– Pardon ? demanda Tuulikki.

– Aucune importance. CadavresModèles, s'il vous plaît.

– Quoi ?

– C'est le nom du fichier que je voudrais voir.

– D'accord.

Le nom du sous-titre était : *170208/FIN/TUR*.

17 février 2008. Patinoire. Finlande, Turku.

Tuulikki appuya sur un bouton et les photos apparurent en miniatures.

– Vous voulez les voir toutes ?

– Oui, s'il vous plaît, dit Joentaa, et Tuulikki appuya sur un autre bouton.

Des photos scintillantes.

Un show de diapos macabres, pensa Joentaa. Rien d'autre.

– Ce n'est pas très réjouissant, dit Tuulikki.

Un soir d'hiver très éclairé. Noir et jaune. Des pompiers en rouge. Les sauveteurs en blanc. Un mélange de couleurs qui se brouilla devant ses yeux.

– Oh ! dit Tuulikki.

Se précipiter au-devant de la mort, l'accueillir. Habitué aux tragédies.

– Vous voulez rester auprès d'elle ? avait demandé le médecin. A l'hôpital. Dans les minutes qui avaient suivi la mort de Sanna.

– Vous avez vu ? demanda Tuulikki.
– Quoi ? dit-il.
– Je voudrais revoir la photo. Un instant.
Tuulikki appuya sur des boutons, et ils se retrouvèrent assis l'un à côté de l'autre, silencieux, devant une image figée.
– Regardez là, le mort au milieu, à côté du pompier, sous les ruines.
Elle montra l'écran, elle toucha très légèrement le cadavre avec son index.
– Il me fait penser à un des mannequins de l'émission. Il a exactement la même position. Il lui ressemble, non ? Et il n'a qu'une jambe. Comme s'il avait servi de modèle.
Que c'est mignon, pensa Joentaa.
– Si je ne voyais pas que les yeux sont fermés et qu'il a des plaies partout, je dirais... comme un sosie, dit Tuulikki.
– Oui, dit Joentaa.
– Macabre, dit Tuulikki.
– Il faut que je sache qui c'est, dit Joentaa.
Tuulikki se pencha et toucha de nouveau l'écran. Très légèrement, délicatement. Elle lui montra ce qu'il avait déjà vu.
– Je crois que là, devant le grand cadavre, il y a... Le paquet, là... On dirait presque...
– Un enfant, dit Joentaa.

71

Quand Olli Latvala entra dans le hall de l'hôtel, la femme était déjà assise sur un des canapés. Elle ne semblait pas remarquer l'agitation qui régnait autour d'elle, elle avait les yeux dans le vide.
Olli Latvala ralentit le pas. Il était un peu inquiet. Il espérait qu'elle serait à la hauteur de la situation. Il pensait à ce qui lui

était arrivé. C'était inconcevable. Il n'avait aucune idée de ce que cette femme ressentait et il se demanda si Kai-Petteri réussirait à établir le contact avec elle.

Les questions qu'il avait formulées avec Tuula étaient parfaites, elles s'enchaînaient, et il restait assez de temps pour gérer l'imprévisible. Ce qui était important aujourd'hui car l'émission serait retransmise en direct. Personne ne maîtrisait aussi bien l'imprévu que Kai-Petteri, personne ne savait mieux que lui rompre la glace.

Rompre la glace, pensa-t-il. Perdre son mari et son fils, être témoin. Etre soi-même grièvement blessée. Et jusqu'à ce jour, personne ne savait pourquoi le toit s'était écroulé.

Il pensa qu'il avait bien fait d'aller la chercher personnellement à l'hôtel, au lieu de laisser le service de sécurité s'en charger. Il avait l'impression qu'elle avait particulièrement besoin d'attention et qu'elle avait aussi... mérité cette attention.

Il pressa le pas, prit une voix forte et assurée en lui lançant, à une certaine distance :

– Bonjour, me voilà. Maintenant, ça devient sérieux.

La femme cessa de regarder la neige tomber derrière les vitres et se tourna vers lui.

– On y va ? demanda Olli Latvala.

La femme se leva.

– Il y a pas mal de circulation et il neige, mais je connais un détour pour éviter les encombrements, dit Olli Latvala.

Il lui sourit.

La femme hocha la tête et le suivit dehors. Sa voiture était en stationnement interdit, juste devant la porte d'entrée auréolée d'or de l'hôtel. Les employés de l'hôtel qui étaient de chaque côté de la porte leur firent un signe de tête et Latvala dit :

– Pas d'amende, un coup de chance. Parfois, il leur suffit d'une minute, à nos chers policiers, pour vous épingler.

Il fit asseoir la femme à la place du passager, monta à son tour, démarra et se glissa dans la circulation du soir. Dans le ciel, des fusées éclatèrent, ils passèrent à côté d'un accident. Une des voitures avait glissé dans le caniveau, le capot de l'autre était légèrement cabossé.

– Rien de grave à mon avis, dit Olli Latvala, et la femme hocha la tête.

– Comment ça va ? demanda Olli Latvala. L'hôtel vous plaît ?

– Oui, dit la femme.

– Vous n'avez pas croisé Bon Jovi par hasard ?

– Si, dit-elle.

Il tourna les yeux vers elle.

– Si ?

– Oui, à la piscine.

– C'est vrai ?

– Oui.

– C'est incroyable, dit Latvala.

– En tout cas, il lui ressemblait. Il parlait anglais, dit-elle.

– Ce doit être lui, dit Latvala.

– Il a peut-être été surpris parce que je me baignais nue. J'avais oublié mon maillot de bain.

Olli Latvala se mit à rire et regarda de nouveau la route. Il se sentait soulagé, sans pouvoir dire pourquoi.

Peut-être parce qu'il était enfin certain que cette femme prenait encore part à la vie, ne serait-ce qu'en rencontrant une star du rock dans une piscine.

72

Assis à côté de Tuulikki, il contemplait la photo de deux cadavres sous les décombres.

Tuulikki appela un collègue et lui demanda de le remplacer à la réunion avec les cameramen, et Joentaa composa le numéro de Grönholm.

– L'effondrement du toit de la patinoire de Turku. Au début de l'année, dit-il.

– Ah. Et alors ? demanda Grönholm.

– Tu t'en souviens sûrement ?

– Bien sûr.

– Il nous faut le nom des morts. Une liste complète. Nous cherchons peut-être un père et son fils.

– Un père et un fils ?

– Nous avons une photo ici. Le cadavre d'un homme et d'un enfant. Ce pourrait être le père et le fils. Ce n'est qu'une supposition mais ils sont... étroitement enlacés. En tout cas, il nous faut les noms. Demande à Päivi Holmquist de t'aider dans tes recherches.

– D'accord. Mais... pourquoi la patinoire tout d'un coup ?

– Je t'expliquerai plus tard. Il faut se dépêcher. Nous touchons au but.

– Bon, je m'y mets tout de suite.

– Je te remercie. Appelle-moi dès que vous aurez quelque chose.

– A tout à l'heure, dit Grönholm.

– A tout à l'heure, répondit Joentaa avant de raccrocher.

Tuulikki se leva et se dirigea vers le lecteur sur lequel scintillait toujours la photo fixe des gens qui riaient. Et de la femme au milieu qui ne riait pas. Tuulikki commença à tripoter des boutons et des régulateurs, et Joentaa composa le numéro de Sundström.

– Allô ? Kimmo ?

– Tu es où ? demanda Joentaa.

– Au studio de télévision. Dans le hall d'entrée, avec le contrôle de sécurité. Je viens d'arriver.

– Alors monte tout de suite au 36e étage.

Sundström garda le silence quelques secondes.

– Qu'est-ce que tu veux dire ? demanda-t-il.

– Je suis là, moi aussi. Au 36e étage, dans le bureau d'une monteuse, Tuulikki.

– Tuulikki ?

– Préviens Westerberg.

– Il est à côté de moi.

– Dans ce cas, rejoignez-moi tous les deux, nous avons quelque chose à vous montrer.

– Bon… on arrive, dit Sundström.

– A tout de suite, dit Joentaa et il raccrocha.

Il regarda les deux morts qui gisaient dans une mer de décombres et de neige avec, en arrière-plan, un hiver sombre, étoilé.

Dans son dos, Mäkelä disait :

– Que c'est mignon.

Tuulikki avait changé de cassette.

– Même chose, dit-elle d'une voix atone.

Hämäläinen riait. Un rire sympathique. Le public riait aussi.

Joentaa se tourna vers Tuulikki et regarda sur l'écran le mannequin allongé sur une civière dans la lumière chaude d'un projecteur.

Les morts n'ont pas de visage, avait dit Vaasara.

Il pensa au moment, qui ne finissait pas, et l'hiver derrière les vitres de la tour de verre ne se distinguait pas d'un autre hiver où, à Turku, le toit de la patinoire s'était effondré.

73

Kai-Petteri Hämäläinen regarda Tuula qui disposait soigneusement les fiches jaunes les unes au-dessus ou à côté des autres. Par moments, elle changeait l'ordre ou enlevait une fiche parce que les thèmes évoqués dessus n'étaient plus de mise. Kapanen, qui avait tiré sur James Bond, n'avait accepté de venir qu'à condition qu'on ne lui pose pas de questions sur le feuilleton télévisé dans lequel il avait commencé sa carrière.

L'homme politique, qui avait fait la une pendant plusieurs semaines parce qu'il avait consommé de la cocaïne lors d'une réception officielle en Suède, avait demandé que l'on n'évoque pas le sujet alors que c'était la seule raison de sa présence ici.

Plusieurs fiches atterrirent directement dans la corbeille à papier et Tuula dit :

– Ce n'est pas grave. Nous devons bien sûr lui poser la question mais tu le feras dans le feu de l'action.

Dans le feu de l'action, pensa Hämäläinen.

– Bien sûr, dit-il.

– Il doit bien se douter que tu le feras, il ne peut pas être si bête. Il veut sans doute simplement s'assurer que nous ne l'attaquerons pas de front.

– Sans doute, dit Hämäläinen.

– Je lui ferai savoir juste avant l'émission qu'avec la rédaction nous avons décidé que nous devions aborder la question et lui assurer en même temps qu'il n'a pas à s'inquiéter.

– C'est ça, dit Hämäläinen.

Tuula se mit à rire.

– Comme s'il y avait quelque chose à cacher. Ce monsieur n'a pas l'air d'avoir compris que c'est à cette histoire qu'il doit sa popularité.

– Ça arrive que les gens ne comprennent pas, dit Hämäläinen.

Il regarda les fiches et sentit au bout d'un moment le regard de Tuula posé sur lui.

– C'est super que tu sois revenu, dit-elle.

– Oui, dit-il.

Il pensa aux koboldes qui l'avaient regardé comme un étranger.

Il pensa aux gestes timides d'Irene, au tremblement dans sa voix que lui seul pouvait percevoir.

Il pensa à l'amie du tireur fou qui avait dit qu'elle aurait pu l'aider. Sûrement.

Il pensa à la nuit à la lumière du néon, à l'hôpital.

– Bonne chance, dit Tuula.

Il hocha la tête.

– Après l'émission, nous nous éclipsons discrètement et nous fêtons ton retour.

– D'accord.

– Dans cinq minutes, le test de son ? dit Tuula.

Il hocha la tête.

Il sentait le maquillage sur son visage.

Il resta assis quelques minutes puis il se leva et en avançant dans les couloirs en direction du bruit des voix de plus en plus fortes, il pensa au très grand qui s'était caché dans la douche et avait fait rire les enfants jusqu'à ce qu'elles oublient pour un temps ce qui leur faisait peur.

74

La femme passe un pinceau doux sur son visage et dit qu'elle doit faire quelque chose au plus vite et elle ne comprend pas ce que la femme veut dire.

– Vos lèvres. Elles sont très sèches, il faut faire quelque chose.

– Ah bon? dit-elle.

– Je ne peux pas y remédier comme ça. C'est un programme à long terme.

– Ah bon, dit-elle.

– Je peux juste les recouvrir un peu, dit la femme en passant le pinceau sur ses lèvres. Voilà, c'est déjà mieux. Ukko, j'ai besoin d'autres couleurs.

Ukko, un petit homme, jeune d'allure, approche un plateau sur lequel doivent être les couleurs.

Elle ferme les yeux et sent de nouveau les poils du pinceau sur sa joue. Une caresse, une chatouille.

– On va y arriver, dit la femme, vous avez un type très clair. Je ne vais pas le gommer, juste un peu l'atténuer.

Elle hocha la tête.

Gommer, pense-t-elle. Atténuer. Elle pense aux mots et dans son dos, Olli Latvala demande :

– Tout se passe bien ici ?

– Nous avons presque fini, dit la femme. Avec les lèvres, j'ai du mal, mais j'ai recouvert les parties à vif.

– Bien, dit Olli Latvala.

Puis, elle marche à côté d'Olli Latvala en direction d'une grande pièce. Sur des tables, le long du mur, sont posés des plateaux avec des sandwichs et des fruits.

– Servez-vous, dit Olli Latvala. Vous voulez boire quelque chose ?

– Je ne crois pas, dit-elle, je n'ai pas soif.

– Ne croyez pas ce que vous dit la collègue du maquillage. Vos lèvres sont très bien.

De la musique se fait entendre dans le haut-parleur.

– Ça va commencer, dit Olli Latvala. Mais nous avons encore un peu de temps. Le mieux serait que vous restiez bien tranquille ici. Je viens vous chercher au moment voulu et je vous accompagne comme convenu jusqu'à l'entrée sur le plateau. D'accord ?

Elle hoche la tête.

– A plus tard. Je vous recommande les sandwichs à l'anguille et aux œufs, ils sont délicieux, dit Olli Latvala. Et si jamais vous voyez arriver Bon Jovi ici, ne vous inquiétez pas, il doit chanter aujourd'hui.

Il sourit.

Elle aime son sourire.

Puis il sort et la laisse seule dans la grande pièce.

75

Paavo Sundström et Marko Westerberg étaient à bout de souffle quand ils firent irruption dans la pièce.

Dehors, il tombait maintenant des giboulées de neige fondue. Des photos figées scintillaient sur l'écran.

Un mannequin sur une civière dans un studio de télévision. Et deux cadavres, un homme et un enfant, sous les décombres dans la neige. L'homme n'avait qu'une jambe. Ses yeux étaient fermés.

Sundström et Westerberg observaient attentivement les photos, allant de l'écran plat à celui de l'ordinateur, et Sundström demanda enfin :

– Qu'est-ce que c'est ?

– C'est une photo après l'effondrement de la patinoire de Turku. Tu te souviens. Au début de l'année. En février.

– Naturellement.

– La victime sur la photo ressemble beaucoup au mannequin. Ils sont pratiquement... identiques, dit Joentaa.

– Oui, dit Sundström en contemplant le mannequin sur l'écran plat, je comprends ce que tu veux dire.

– La femme que nous cherchons a vu l'homme qu'elle a perdu allongé sur la civière. Pas un mannequin mais l'homme qu'elle avait connu. Mäkelä a vraiment atteint son objectif.

– Ce qui veut dire ? demanda Westerberg.

– Il voulait imiter la réalité parfaitement. Il a réussi. Pour la femme, il n'y avait plus de différence. Pendant que les autres s'amusaient, elle a vu un homme allongé sur la civière, un vrai, exactement comme elle l'avait vu au moment de sa mort réelle... Et... peut-être... peut-être qu'elle se trouvait elle-même dans la patinoire et a survécu au drame.

Sundström hocha la tête sans quitter l'écran des yeux.

– De plus, je crois qu'elle n'a pas vu l'émission à la télévision mais ici, dans le studio, parmi le public.

– Quoi ? dit Sundström.

– Est-ce que nous pouvons repasser la cassette ? demanda-t-il.

Tuulikki hocha la tête. Elle changea les cassettes, rembobina la bande jusqu'à l'endroit où les huit personnes rient, où une seule ne rit pas.

– Je crois que c'est la femme que nous cherchons. La femme du milieu, dit Joentaa.

Sundström garda le silence. Il observait la femme en plissant les yeux.

– C'est affreux, dit Westerberg en arrière-plan.

Sundström hocha la tête.

– Je vois ce que vous voulez dire. Mais c'est peut-être juste une femme qui trouve ça moins drôle que les autres.

– C'est possible, dit Joentaa.

– C'est affreux… ce visage, dit Westerberg.

– J'ai demandé à Petri de rechercher les coordonnées de toutes les victimes de l'accident de la patinoire, avec l'aide de Päivi Holmquist, dit Kimmo Joentaa. Ça devrait aller vite. Il existe une liste des spectateurs du talk-show, mais elle n'est pas complète et, comme il n'y avait pas de places numérotées, il ne sera pas facile de retrouver la femme. Et comme tu viens de le dire fort justement, nous ne pouvons pas avoir de certitude à propos de la femme qui se trouve parmi le public.

Sundström hocha la tête.

– Petri ne va pas tarder à se manifester, nous en saurons plus à ce moment-là.

– Oui, dit Sundström.

Tuulikki s'était levée, elle était penchée devant l'écran de l'ordinateur.

– Qui fait ce genre de photo ? demanda-t-elle.

Joentaa, Sundström et Westerberg suivirent son regard.

L'enfant tournait le dos à l'appareil, il semblait vouloir embrasser l'homme et une main de l'homme était posée sur le corps anormalement plat de l'enfant. A la lumière du flash, la scène paraissait irréelle, comme si le tableau avait été mis en scène pour le photographe.

– Qui fait ce genre de photo ? répéta Tuulikki.

76

Les regards étaient tournés vers lui. Les caméras étaient tournées vers lui. Il avait les jambes molles, il sentit un sourire sur son visage et la sueur sur son front. L'oreillette dans son oreille fonctionnait. L'assistant était à quelques mètre de lui et tenait à deux mains au-dessus de sa tête le bandeau avec les mots clés. La phrase d'introduction attendait dans le prompteur. La phrase que Tuula avait rédigée spécialement pour lui, il l'avait oubliée. Il était au centre du monde et cherchait ses mots.

– Soyez les bienvenus, dit-il. Je suis très heureux d'être avec vous ce soir. Et je suis très heureux… que vous soyez avec moi.

Il tourna le dos à la caméra et se dirigea vers le coin salon rouge vif où il devait saluer le premier invité. Un coin chaleureux.

La phrase qu'avait préparée Tuula était différente, meilleure sans doute.

Il sentait la caméra dans son dos. Il s'assit. L'intégralité de l'introduction était dans le prompteur. Les mots clés sur le bandeau en carton grand format que l'assistant brandissait.

– Une année s'achève, une autre commence. Nous sommes ici ensemble et regardons en arrière. Nous essayons de retenir ce qui a compté. D'assez beau. Ou d'assez triste, pour nous accompagner dans cette nouvelle année. Les choses qui tranchent avec le quotidien et qui restent. Nous ne pouvons plus les oublier. Ou nous ne voulons pas. Ou nous n'en avons pas le droit.

Il sentit le vertige derrière son front et l'envie d'essuyer la sueur sur ses tempes.

– Je voudrais aujourd'hui saluer ma femme qui est généralement assise devant la télévision quand on peut m'y voir. Ma critique la plus importante, et la meilleure. Ma seule.

Le public se mit à rire et lui aussi. La sensation de la sueur sur son corps était agréable.

– Et je salue aussi mes filles. Salut, les filles. A tout à l'heure, et gare à vous si vous ne tenez pas jusqu'à minuit, j'ai préparé un feu d'artifice.

Rires de nouveau parmi le public. Il sentait les regards sans pouvoir voir les gens. Il ne voyait que la lumière aveuglante du projecteur.

Il se sentait de plus en plus léger, il jeta un coup d'œil sur l'introduction dans le prompteur avant de parler.

– Et je salue bien sûr mon premier invité. Un de ceux que l'année qui s'achève a particulièrement gâté. Cet heureux élu de l'année qui porte fièrement ses soixante-quatorze ans a touché le plus grand jackpot de l'histoire de la loterie finlandaise. J'ai nommé, Elvi Laaksola !

Les applaudissements crépitèrent et un homme aux cheveux blancs s'avança vers lui, l'air plus intimidé qu'heureux.

77

Un cadavre dans la neige, un mannequin sur une civière, une femme dans le public et, sur le quatrième écran, Hämäläinen parlant avec un gagnant qui disait que toute sa vie il avait été un perdant.

– Et maintenant, il est trop tard, dit-il. Qu'est-ce que je peux faire de tout cet argent ? Je n'ai pas envie de voyager et je ne peux plus conduire non plus, à cause des yeux.

Hämäläinen se tira d'affaire par une plaisanterie.

Le public rit.

L'homme aux cheveux blancs était toujours aussi morose, il n'avait pas l'air prêt à se laisser convaincre que gagner le jackpot n'était pas une catastrophe qui aurait pu lui être épargnée sur ses vieux jours.

– Il est marrant, dit Sundström. Je voudrais être comme lui quand je serai vieux.

– Sérieusement ? demanda Tuulikki.

– Je blague, dit Sundström.

La sonnerie monotone du portable. Joentaa le sortit de sa poche.

– Petri ? dit-il.

– Allô, Kimmo. Nous avons quelque chose, dit Grönholm.

– Oui ?

– Lors de l'effondrement du toit de la patinoire, vingt-quatre personnes ont trouvé la mort. Nous avons les noms.

– Bien.

– Je peux te les faxer ? Ou je t'envoie la liste par mail si tu as un ordinateur à disposition.

– Oui, s'il te plaît, fais ça, tout de suite.

– Pas de problème, dit Grönholm. Tu vas voir, certaines victimes portent le même nom de famille. Nous n'avons pas encore pu vérifier s'il y a un père et un fils, nous nous en occupons maintenant.

– Bien, dit Joentaa.

– Je t'appelle dès que j'ai quelque chose.

– Encore une chose, y a-t-il sur la liste le nom des blessés qui ont survécu ?

– Euh, non.

– Il nous les faut aussi.

– C'est plus compliqué, si je me souviens bien, il y en avait beaucoup. C'est nettement plus difficile d'avoir une liste exhaustive de ces noms-là.

– Essaie, s'il te plaît. Et si tu trouves une similitude de noms avec les victimes, préviens-moi immédiatement. Nous recherchons éventuellement un homme et un garçon parmi les morts et une femme parmi les rescapés.

– J'ai compris. On y va. A tout à l'heure, dit Grönholm avant de raccrocher.

Joentaa se tourna vers Tuulikki.

– Vous pouvez joindre Olli Latvala ?

– Je peux essayer mais je crains que ce ne soit difficile. Il s'occupe des invités et aujourd'hui nous avons un programme archichargé.

Joentaa hocha la tête.

– Il avait dit que vous aviez au moins les noms de certains spectateurs de l'émission. Dans le cas où il s'agit de billets qui ont été envoyés par la poste. J'aimerais voir cette liste.

Tuulikki hocha la tête. Elle essaya de composer le numéro mais, au bout d'un moment, elle secoua la tête

– Ce ne sera pas possible. Il n'entend plus que ce qu'il a dans son casque et les gens qui vont participer à l'émission.

Joentaa hocha la tête.

– Tant pis. Il faut que je lise un mail. L'ordinateur est branché sur Internet ?

– Oui, bien sûr, répondit Tuulikki.

Joentaa s'assit devant l'écran et réduisit le format de la photo des archives CadavresModèles de Mäkelä.

– Petri a pu dire quelque chose ? demanda Sundström.

– Ils ont les noms des victimes. Ils envoient une liste.

– Je suis peut-être un peu lent mais je ne saisis pas bien le rapport, dit Westerberg qui venait de s'approcher à son tour de l'ordinateur.

Joentaa ouvrit le mail de Grönholm qui ne contenait pas de texte, juste un fichier joint.

– La liste doit contenir le nom de l'homme et du garçon qui sont sur la photo.

– Ah, fit Westerberg.

Joentaa ouvrit le document Word. Encore une liste, pensa-t-il. Prénoms, noms. Les dates de naissance manquaient encore, Grönholm et Päivi Holmquist s'en occupaient car l'âge des victimes était important. Ils se penchèrent tous sur l'écran et lurent :

– – –

Leo Aalto
Seppo Aalto
Markku Aalto
Petra Bäckström
Sulevi Jääskeläinen

Eva Johansson
Ronja Koivistio
Ella Kuusisto
Lara Kuusisto
Pentti Laakso
Kielo Laakso
Viola Lagerbäck
Sipi Lindström
Raija Lindström
Ilmari Mattila
Veikko Mattila
Kaino Nieminen
Tuomas Nieminen
Arsi Peltola
Urho Peltola
Tuomas Peltonen
Akseli Pesonen
Tapio Pesonen
Laura Virtanen
– – –

Joentaa avait le sentiment qu'il allait tomber sur un nom connu d'une seconde à l'autre. Le nom de quelqu'un qu'il avait connu et perdu de vue pour le retrouver sur cette liste des années plus tard. Mais les noms lui étaient inconnus. Des lettres noires inconnues sur du papier blanc, sur un écran. Dans une pièce inconnue. Classés par ordre alphabétique.

– Est-ce que Petri a pu dire autre chose ?

– Ils s'en occupent encore. Ils essaient de sélectionner les noms qui entrent en ligne de compte. Je lui ai dit que nous recherchions un homme et un garçon, peut-être le père et le fils, il nous appelle dès qu'il a du nouveau, dit Joentaa.

Sundström hocha la tête.

Sur le grand écran, Hämäläinen prenait congé du gagnant triste et l'homme aux cheveux blancs quittait le plateau en prenant appui sur une canne.

78

L'homme aux cheveux blancs disparut dans la lumière du projecteur comme dans le brouillard, et les quatre sauteurs à ski entrèrent aussitôt sur le plateau sous un concert d'applaudissements et saluèrent le public comme si de rien n'était. Ils avaient un drôle de look, avec leur jeans et leur chemises de couleur, leur médaille d'or autour du cou. Leurs skis sur l'épaule. Comme des enfants.

L'un d'eux n'avait d'ailleurs que seize ans et, de toute façon, les sportifs ne sont jamais obligés de devenir adultes car on ne leur interdit pas de jouer et ils n'en perdent jamais l'habitude. Au contraire, c'est en jouant qu'ils gagnent de l'argent.

Il pensa à Niskanen. Attendre la vérification du test. Espérer jusqu'au bout, obéissant contre toute logique à une pulsion intérieure, et, pour finir, débiter des mensonges en série jusqu'à y croire soi-même. Et quand ça ne pouvait plus fonctionner, on s'en allait en Irlande élever des moutons et on raccrochait quand le passé était au bout du fil.

Les sauteurs à ski se laissèrent tomber dans le canapé confortable, et Hämäläinen s'aperçut qu'il avait perdu le fil. L'émission se passait bien. Le meilleur, c'est qu'il était complètement en dehors. Ça s'enchaînait, tout simplement. Il pensa à l'amie du tueur fou et à une douleur légère, il n'aurait pu dire où. Elle se diffusa dans tout son corps et il posa une question sur la texture des skis de saut qu'il avait lue sur la fiche jaune.

Un des sauteurs répondit et il se dit que tout était nickel. Rouge, or, bleu foncé, orange. Parfaitement assorti, sans le moindre grain de sable. Le parquet lisse, le bureau très classe où il irait s'asseoir, plus tard. Se pencher un peu en avant, pas trop. Sourire, puis froncer les sourcils. Et sourire de nouveau.

La question suivante portait sur la chute dans l'avant-dernier passage. Quand, tout d'un coup, tout avait failli basculer, au moment où, après avoir mené, ils avaient pris un léger retard. Les skieurs se mirent à rire. C'était du passé, du passé surmonté. La star parmi les vainqueurs expliqua comment il avait imposé le triomphe de son équipe. Record de saut au tremplin au dernier passage, réception du saut avec élégance à une distance qui dépassait ce qui était soi-disant physiquement possible.

Hämäläinen se souvenait. Le micro avec lequel il avait interrogé le spécialiste à l'époque, en début d'année, pendant la retransmission en direct de la victoire finlandaise, était jaune, exactement comme les fiches qui se trouvaient devant lui. Tempête de neige. Le tremplin, un monstre qui crachait les sauteurs comme des insectes. Voler à deux cent quarante mètres. Pas mal pour un être humain.

Hämäläinen avait demandé au spécialiste ce qui allait se passer après ça, si on finirait un jour par franchir en volant sur des skis une distance d'un kilomètre ou plus et si cela pouvait devenir une nouvelle manière de voyager et le spécialiste avait ri et le dernier sauteur de l'équipe qui menait jusque-là avait craqué nerveusement et interrompu son vol, comme un oiseau qui aurait perdu ses ailes.

Il pensa à Niskanen, se pencha en avant et sourit. Les questions sortaient de sa bouche et il entendait sa voix comme si c'était celle d'un inconnu.

Un des sauteurs à ski tendit sa médaille en direction de la caméra, un autre fit une blague limite, puis ils se dirigèrent tous les quatre vers le brouillard qui les engloutit, Hämäläinen annonça le tube de l'été des rockers que les koboldes aimaient bien.

Elles allaient sûrement se mettre à chanter à la maison et Irene avec elle, mais juste la mélodie car elle ne connaissait pas le texte.

79

Elle connaît la chanson qui sort du haut-parleur. Elle a glissé près d'elle durant un été qu'elle a vu passer à travers une vitre.

80

– Nous avons quelque chose, dit Petri Grönholm.

– Oui ? fit Joentaa.

– Tu as la liste sous les yeux ?

– Oui.

– Eh bien, il n'y a qu'un jeune garçon parmi les morts. Les noms que je suppose que tu cherches sont Ilmari et Veikko Mattila.

Kimmo Joentaa lut les deux noms.

– Père et fils, dit Grönholm. Le père avait trente-cinq ans, le fils cinq, tous deux domiciliés à Turku, Asematie 19.

Nom, adresse, date de naissance.

– Mais jusqu'à présent, nous n'avons personne de ce nom parmi les blessés. Dans l'annuaire, il y a Ilmari Mattila, personne d'autre.

Kimmo et Sanna Joentaa, pensa-t-il. Et un numéro sous lequel Sanna Joentaa ne pouvait être jointe. En automne, une femme avait appelé pour vendre un abonnement à des magazines à Sanna.

– Tu as déjà appelé ? demanda Joentaa.

– Non.

– Donne-moi le numéro.

– Un instant.

Joentaa entendit un froissement de papier puis Grönholm revint et lui dicta le numéro.
– Merci, dit Joentaa. Je te rappelle.
– Nous avons quelque chose ? demanda Sundström.
– Un numéro, répondit Joentaa.
Il composa le numéro.
Veikko à l'appareil. Je ne suis pas là. Papa non plus. Maman non plus. A plus tard. Salut.
La voix d'un enfant.
– Alors ? demanda Westerberg.
Et maintenant le message pour toute question sérieuse. La voix d'une femme. Un peu inhibée, elle devait trouver désagréable de parler dans le vide. Derrière, l'enfant riait, Veikko. La femme cita les noms entiers de ceux que Veikko avait appelés papa et maman et promit de rappeler bientôt.
Le bip.
– Alors ? demanda Sundström.
Joentaa hésita un instant, puis il tapa le nom de la femme sur Google et chercha des photos. Il reconnut tout de suite la femme. Bien qu'elle fût nettement plus jeune sur la photo. Elle portait un déguisement et était au gouvernail d'un bateau, derrière elle on apercevait la mer et la plage de Naantali.
– Qui est-ce ? demanda Sundström.
– La petite Myy, dit Westerberg. En tout cas, c'est le costume que porte la femme.
Joentaa agrandit l'image qui était intégrée dans un article d'un journal local. Il était question du début d'un été passé depuis longtemps et de l'inauguration de nouvelles attractions, par exemple du bateau, dans la Vallée des Moumines. La femme sur la photo riait aux éclats, comme si elle voulait redresser la barre, dans une direction qu'elle seule connaissait.
– Mais c'est la femme qui était… assise parmi le public, non ? s'exclama Tuulikki.
Joentaa hocha la tête. Son regard balaya l'écran sur lequel le groupe de rockers finlandais chantaient le tube de l'été. La musique entraînante semblait sortir de plusieurs haut-parleurs.

Le portable sonna.

– Nous avons quelque chose, dit Grönholm. Ilmari Mattila était marié. La femme a gardé son nom de jeune fille.

– Je sais, dit Joentaa.

– Ah bon ? dit Grönholm.

– Et comment s'appelle-t-elle ? demanda Sundström.

Les applaudissements cessèrent. La voix de Hämäläinen.

– Salme Salonen, dit Joentaa.

– Salme Salonen, dit Hämäläinen.

– Pardon ? demanda Sundström.

– Salme Salonen, répondit Joentaa.

– Soyez la bienvenue, je suis particulièrement heureux de vous accueillir ici… Salme Salonen, dit Hämäläinen.

81

Il était assis à son bureau, sous la lumière des projecteurs. Le bois, noble et net. Il sentait le papier lisse dans ses mains. Contraste trop violent. Il faudrait qu'il en parle avec Tuula. D'abord le tube de l'été et après, ça. Tuula aimait ces transitions brutales.

La femme émergea du brouillard et vint vers lui. Les applaudissements l'accompagnaient. Elle avait de longs cheveux roux, elle semblait glisser sur des rails. Elle s'assit en face de lui et posa son sac sur le fauteuil libre à côté d'elle.

Le pompier qui avait été le premier sauveteur lors de la catastrophe serait obligé de mettre le sac sur le côté quand il arriverait sur le plateau car il devait intervenir dans la conversation et s'asseoir à côté de la femme. Hämäläinen prévut de résoudre ce petit problème avec élégance.

– Vous avez franchi un grand pas, commença-t-il, et je crois que je parle au nom de tous ceux qui sont ici et devant leur écran, c'est un pas que nous respectons profondément, sans pouvoir nous représenter le moins du monde…

La femme lui sourit.

Il répondit à son sourire.

Plus tard, il ne pourrait expliquer cet instant, il décrirait simplement ce qu'il avait ressenti, et seulement quelques rares fois.

Sous les regards tendus et sinon difficiles à interpréter de ses auditeurs, il raconterait que le moment où il avait compris l'avait pris au dépourvu. Qu'il n'avait jamais vu la femme auparavant et ne savait quelle impulsion avait été décisive. Qu'il avait lu dans ses yeux.

Et qu'il avait ressenti cet instant comme un instant parfait, un instant de douleur et de beauté.

82

L'avocat mangeait un des gâteaux secs de Salme Salonen après en avoir offert à ses invités et il pensa qu'elle aurait dû le lui dire.

Elle aurait absolument dû lui dire qu'elle passait à la télévision pour parler de ce drame, de son mari et de son fils.

Le gâteau était vraiment très bon, dans le jardin, des fusées et des pétards explosaient, lancés par des enfants qui riaient, et les invités, pour la plupart des avocats avec leurs épouses, parlaient tous en même temps d'affaires qui s'étaient plus ou moins bien passées, tandis que sur l'écran, quelque chose d'étrange se produisait.

Kirsti, sa femme, débarrassait la table et les restes du dîner et à un moment, elle s'arrêta et demanda dans le brouhaha ambiant :

– Il y a une panne de son ou c'est qu'ils sont assis là sans rien dire ?

83

Sur l'écran, Kai-Petteri Hämäläinen et Salme Salonen étaient assis l'un en face de l'autre pendant que Sundström et Westerberg s'entretenaient avec des collègues qui ne comprenaient rien à ce qu'on leur disait.

– On intervient ! cria plusieurs fois Sundström, mais le collègue à l'autre bout du fil ne comprenait pas.

– La femme sur le plateau semble être celle que nous cherchons, dit Westerberg mais son interlocuteur répondait lui aussi par des questions.

– Comment ça, quelle femme, il n'y en a qu'une, dit Westerberg.

– Nous avons posté quelqu'un à proximité du plateau ? demanda Sundström. Comment ça tu ne sais pas...

– Non. Non, évidemment, on n'a pas fouillé les spectateurs pour voir s'ils avaient des armes, cria Westerberg.

Joentaa était assis à côté de Tuulikki et il entendait les voix des deux hommes très loin. Il ne comprenait pas pourquoi ils s'excitaient comme ça. Leur nervosité contrastait avec le silence qui émanait du téléviseur.

Il y eut une pause.

Hämäläinen ne bougeait pas.

La femme ne bougeait pas.

Ils se regardaient et semblaient s'être tout dit avant même d'avoir échangé le premier mot.

84

Kai-Petteri Hämäläinen voyait la femme et, derrière, le brouillard dans la lumière des projecteurs et, derrière encore, les silhouettes de ceux qui les regardaient et les écoutaient tandis qu'ils se taisaient.

Dans l'oreillette, il recevait de temps en temps des instructions. La voix un peu rauque mais puissante du réalisateur qui demandait ce qui se passait. « Allô. Allô, Kai-Petteri. Tu m'entends ? »

Il baissa la tête et balaya du regard les questions qu'il ne poserait pas. Des questions écrites sur des fiches jaunes posées sur le bois sombre et lisse, classées par mots clés et par thèmes. Madame Salonen, vous avez été victime de la catastrophe du 17 février de cette année à Turku. Avez-vous un souvenir précis de cet événement ? Comment vivez-vous avec ça ? Combien de temps avez-vous passé à l'hôpital ? Comment allez-vous aujourd'hui ?

Combien de temps s'était-il écoulé ? Il l'ignorait.

Dans le brouillard, Tuula gesticulait. Elle faisait de grands gestes désordonnés avec les bras, il était impossible de déchiffrer ces signaux.

La femme de l'autre côté du bureau regardait derrière lui, au loin. Elle n'avait l'air ni heureuse ni triste. Il n'avait encore jamais vu de visage aussi neutre. Il ne connaissait pas cette femme.

C'était peut-être la robe. L'ombre de la robe qu'il avait vue.

C'était peut-être le silence sur son visage.

Le très grand surgit soudain du brouillard. Il avait l'air détendu, il lui sourit, ainsi qu'à la femme, d'un air encourageant. Il prit le sac à main et s'assit sur la chaise où aurait dû s'asseoir le pompier. Il posa légèrement, imperceptiblement, une main sur le bras gauche de la femme. La femme ne sembla pas le remarquer.

– Vous avez des enfants ? s'entendit demander Hämäläinen.

Le très grand secoua la tête.

– Non, malheureusement, dit-il.

Hämäläinen hocha la tête. « Pub », dit la voix dans son oreille. Et elle ajouta que l'émission reprendrait dans trois minutes et cinquante huit secondes.

85

Sami, son fils, et Meredith, la fille d'une collègue, se roulaient par terre devant lui et il se demanda vaguement pourquoi la fille de deux Finlandais s'appelait Meredith et quand et dans quelles circonstances on devait voir dans ces jeux d'enfants une composante sexuelle.

Il avait lu quelque chose là-dessus récemment, un article intéressant dans une revue spécialisée, mais le contenu ne lui revenait pas, probablement à cause de ce qui se passait sur l'écran.

Maintenant, il y avait de la publicité. Une musique magnifique devait faire les frais d'un spot publicitaire quelconque pour une marque de voiture.

– Qu'est-ce qui s'est passé ? demanda Seppo.

Il se tourna vers lui et les autres invités qui étaient encore assis à table et piquaient dans l'huile.

– Excusez-moi, dit-il. C'était… une de mes patientes.

– Une patiente à toi ? Chez Hämäläinen ? demanda Seppo.

– Euh, oui.

– La femme qu'on vient de voir ? demanda Sami, allongé par terre, en sueur, profitant d'un moment où Meredith s'était détournée de lui.

Il hocha la tête.

– Non, arrête ! cria Sami à Meredith qui s'était remise à le chatouiller.

– Et alors ? Comment elle s'en est sortie ? demanda Seppo.
– Quoi ?
– Ta patiente, dit Seppo.
– Ah. Je... je ne sais pas trop, dit-il.
– Tu peux laisser la télé allumée. Après, il y a Kapanen. Le comédien. J'aimerais bien le voir, dit un autre.
Il acquiesça et décida d'appeler Salme Salonen dès le lendemain.
Puis il se leva et retourna à table.

86

L'interview, ainsi qu'on la commenta les jours suivants, bien que les interlocuteurs n'aient pas échangé une parole, dura deux minutes et trente-quatre secondes. La publicité qui suivit, quatre minutes.
Pendant que la publicité passait sur les écrans, le très grand emmena Salme Salonen dans les coulisses. Hämäläinen les suivit des yeux et pensa qu'ils ressemblaient à un couple, serrés l'un contre l'autre, la femme, dans un geste d'intimité, paraissait poser la tête sur l'épaule de l'homme.
Hämäläinen se sentait très calme, comme il ne l'avait pas été depuis longtemps, Tuula vint sur le plateau et lui demanda ce qui se passait.
Il secoua la tête et dit :
– Rien.
– Rien ?
– Non, rien.
– Qu'est-ce qu'elle avait... cette femme ?
– Rien, dit Hämäläinen.
– Qu'est-ce que ça veut dire, Kai ?

– Tout va pour le mieux, dit Hämäläinen. C'est à qui maintenant ?

– Pardon ? demanda Tuula.

Hämäläinen étudia ses fiches.

– Le pompier. Et ensuite Kapanen, dit-il. Parfait. Qu'ils entrent.

– Kai, nous devons...

– J'ai vu le James Bond. Kapanen était excellent, dit Hämäläinen.

Une assistante surgit du brouillard et essuya son visage en sueur.

– Kai, nous ne pouvons pas faire comme si... dit Tuula.

– Si, nous pouvons. Tu devrais partir, c'est à nous, dit Hämäläinen en baissant les yeux vers les questions qu'il devait poser à Kapanen. L'une après l'autre. Il n'en sauterait pas une seule.

Tuula le regarda encore un moment, il le sentait, mais il garda les yeux posés sur ses questions et Tuula quitta le plateau, les jambes flageolantes, sous la lumière crue. La voix dans son oreille comptait les secondes à rebours.

87

Salme Salonen fut conduite au commissariat de police à la périphérie d'Helsinki pour y être entendue. Elle n'opposa aucune résistance. Dans son sac à main, on ne trouva pas de couteau mais une photo, sans doute son mari et son fils devant un décor hivernal à Stockholm.

Elle était assise sur sa chaise dans une pièce grise, immobile, pendant que Sundström lui posait des questions. Westerberg et Joentaa étaient derrière la vitre, et Salme Salonen donnait tous les renseignements qu'on lui demandait. Elle parlait lentement.

Sa voix était douce, claire et absente. Elle avait l'air de réfléchir très exactement avant de formuler une phrase. Oui, son nom était Salme Salonen. Elle avait vingt-huit ans. Née le 24 mars 1980. Oui elle vivait à Turku, Asematie 19. Elle avait été mariée avec Ilmari Mattila, elle avait eu un fils, Veikko Mattila. Elle était veuve.

Nom, adresse, date de naissance, pensa Joentaa, et la voix de Sundström aussi était claire, douce et curieusement absente. Un poids semblait peser sur la femme qui était assise à la table, droite, Sundström en revanche semblait soulagé d'un poids.

– Profession ? demanda Sundström.

Jusqu'au 17 février de cette année, Salme Salonen avait travaillé comme commerciale au service comptabilité d'une entreprise qui fabriquait des jouets. Elle avait survécu à l'effondrement du toit d'une patinoire à Turku en fin d'après-midi de ce même jour, grièvement blessée. Elle avait eu plusieurs fractures et un traumatisme crânien, et avait passé trois mois et demi à l'hôpital.

Avec d'autres personnes de sa famille, elle était en procès contre une entreprise qui avait construit le toit de la patinoire dix-neuf ans plus tôt et l'avait rénové quelques semaines avant qu'il ne s'effondre. Le propriétaire de l'entreprise avait quitté le pays et restait introuvable. Les preuves concernant les causes de la catastrophe n'étaient pas encore établies.

Elle parla d'une amie, Rauna.

– Rauna ? demanda Sundström.

– Mon amie, dit Salme Salonen. Elle était allongée près de moi quand le ciel s'est écroulé.

Sundström garda le silence.

– Elle est très bonne en patin à glace. Elle danse sur la glace, Veikko rit et Ilmari trébuche. Ilmari est un mauvais patineur mais ça lui est égal. Et puis le ciel s'écroule et Rauna est allongée près de moi. Nous nous regardons.

– Vous connaissez... Rauna depuis longtemps ? demanda Sundström.

– Non. Nous nous voyons pour la première fois. Elle me demande si le ciel s'est écroulé et vient me voir dans ma chambre d'hôpital. Elle va mieux. Elle a juste un bras cassé. Je voudrais... l'adopter.

– L'adopter ? demanda Sundström.

– Parce que ses parents sont morts.

– Ses...

– Rauna va avoir six ans. Ses parents étaient aussi dans la patinoire. Rauna vit dans un orphelinat au Klosterberg. Elle serait contente que nous puissions vivre ensemble mais ils doivent d'abord faire des contrôles

– Des contrôles... de quoi ? demanda Sundström.

– Les autorités vérifient si c'est possible. Il y a aussi un psychologue qui vérifié si c'est possible. Si je suis apte.

Sundström resta de nouveau silencieux.

– C'est le mot qu'on emploie. Drôle de mot, dit-elle. Je réfléchis souvent aux mots

La femme eut un petit sourire, et Joentaa pensa que ce sourire s'adressait à Rauna.

– Pourquoi êtes-vous allée assister au talk-show *Hämäläinen* le 8 novembre de cette année ? demanda Sundström.

– Parce que j'étais invitée, dit-elle.

– Invitée ?... Par qui ?

– Par lui. Dans la lettre, il y avait une photo, avec sa signature.

– Une invitation dédicacée ? demanda Sundström.

– Oui. Et un billet d'entrée. J'avais accepté de parler, dans l'émission de fin d'année... aujourd'hui donc... d'Ilmari et de Veikko et de ce jour-là, à la patinoire, c'est pour ça que j'ai été invitée à l'émission précédente, comme spectatrice. Comme... cadeau, parce qu'ils... parce qu'ils ne pouvaient pas payer d'honoraires.

Sundström regarda la femme, surpris.

– Ça m'a étonnée moi aussi. Cette histoire d'honoraires. Je ne voulais pas d'honoraires, je voulais juste parler d'Ilmari et de Veikko, et de Rauna et de ses parents, et expliquer qu'on doit faire tout ce qu'on peut pour réparer ça.

– Je comprends. Vous avez dit lors de votre arrestation que vous ne vouliez pas subir cet interrogatoire en présence de votre avocat, dit Sundström.

Elle acquiesça.

– Il aurait un trajet assez long. Il habite à Turku. Et il n'est plus… tout jeune.

– Je comprends, dit Sundström. Vous êtes accusée d'avoir assassiné le médecin légiste Patrik Laukkanen et le fabricant de mannequins Harri Mäkelä, déclara Sundström.

– Je ne connais pas les noms. Mais c'est vrai, vous avez raison.

– Qu'est-ce qui est vrai ? demanda Sundström.

– Je l'ai fait. Ce que vous dites.

– Vous avez attaqué le médecin légiste Patrik Laukkanen et le fabricant de mannequins Harri Mäkelä… avec un couteau et vous les avez tués, dit Sundström. Et vous avez également agressé Kai-Petteri Hämäläinen.

La femme hocha la tête.

– Plus fort, s'il vous plaît, dit Sundström.

Un long silence suivit.

Sundström s'assit et baissa les yeux vers le magnétophone qui bourdonnait doucement.

Le changement de position de la femme s'accomplit très lentement, imperceptiblement. Elle semblait avoir quelque chose sous la peau. Elle passa d'abord ses mains sur ses bras, tout doucement, puis elle se gratta de plus en plus fort comme si un insecte l'avait piquée.

Sundström ne leva les yeux que lorsque la femme se mit à s'ébouriffer les cheveux avec des mouvements saccadés.

– Je peux… commença-t-il mais ce qu'il dit ensuite fut couvert par le cri que poussa la femme, un cri venu du plus profond d'elle, un cri interminable.

Elle avait fermé les yeux.

Elle criait, criait, criait.

Appeler Larissa, pensa Joentaa.

– Mon Dieu, dit Westerberg.

Le cri expira et la femme s'effondra. Elle regarda Sundström qui était assis en face d'elle, pétrifié.

– Un désert dans la tête, dit-elle.

– Pardon ? demanda Sundström.

– Ça n'a servi à rien, dit-elle.
– Qu'est-ce qui n'a servi à rien ? demanda Sundström.
– Je n'arrive pas à me souvenir. Je sais que c'est arrivé mais je n'arrive pas à me souvenir.
Sundström semblait attendre qu'elle continue.
– Vous avez vu la photo ? demanda-t-elle.
– La photo dans votre sac ? demanda Sundström.
– Oui.
Sundström hocha la tête.
Elle eut l'air de vouloir ajouter quelque chose mais se tut et Sundström se tut aussi et, au bout de quelques minutes, il éteignit le magnétophone.

88

L'émission continua. Hämäläinen se sentait léger. Peut-être était-ce lié au fait qu'il planait au-dessus du sol. Il était surpris que ses invités ne le remarquent pas.

Il parla longuement avec le pompier qui avait dégagé les morts à la patinoire. Il conversa avec un Kapanen d'excellente humeur. Il présenta Bon Jovi et arriva même, après que celui-ci eut fait son numéro et donné les dates de ses tournées, à lui arracher quelques remarques amusées sur l'hiver finlandais.

Tout se déroulait parfaitement. Le public écoutait et riait. Comme si la femme et le silence n'avaient pas existé. L'émission s'acheva par un feu d'artifice, fruit d'une pyrotechnie raffinée, tous étaient debout sur le plateau et agitaient les bras, et Hämäläinen aussi.

Puis il sortit, comme sur des rails, alla dans sa loge, but un jus de fruits fraîchement pressés, à en croire l'étiquette sur la bouteille, Tuula et Olli Latvala lui tombèrent dessus, il leva la main et dit :

– Silence.

Ils se turent.

– Silence total, s'il vous plaît, dit-il.

Au bout d'un moment, Tuula dit que la femme avait été emmenée par la police. Elle ne comprenait toujours pas pourquoi.

Savait-il ce qui s'était passé ? Elle dit que les rédactions des vidéotextes et d'Internet qui avaient traité le sujet quasi en temps réel avaient parlé d'abord d'une femme submergée de douleur et d'un présentateur compréhensif qui n'avait pas voulu brusquer la femme.

Hämäläinen ressentit de nouveau la légère douleur, il la ressentit en l'espace de quelques secondes à divers endroits du corps.

– Ah oui ? dit-il.

– Je crois que le public dans le studio l'a aussi perçu ainsi, dit Olli Latvala.

– Intéressant, dit Hämäläinen.

– Mais la femme a été embarquée. Et je sais qu'ils supposent qu'il y a un rapport avec la catastrophe, avec l'effondrement du toit de la patinoire... dit Tuula. Tu connais la femme ?

– Non, dit Hämäläinen.

– Mais tu as dû être perturbé qu'elle reste comme ça sans parler. Vous êtes restés plusieurs minutes assis l'un en face de l'autre sans rien dire. Pourquoi est-ce que toi, tu n'as rien dit ?

– Je ne savais pas quoi dire, répondit Hämäläinen.

– Est-ce que la femme pourrait être la personne qui t'a agressé ?

– Évidemment, dit Hämäläinen.

– Évidemment ? demanda Tuula.

– Évidemment que c'était elle.

– Tu l'as reconnue ?

– Non. Comment veux-tu que je reconnaisse quelqu'un que je n'ai jamais vu ?

– Kai, je ne comprends rien à tout ça.

– Moi non plus, dit Hämäläinen.

– Les infos peuvent parler de ça ? demanda Latvala.

– Pardon ? demanda Hämäläinen.

– Ils peuvent te citer ? Dire que c'est la femme qui t'a... agressé. Que du moins, c'est ce que tu supposes...

– Les infos... répéta Hämäläinen.

– Oui, parce que Lundberg m'a demandé, dit Latvala. C'est lui qui s'occupe des infos aujourd'hui et ils n'ont aucune déclaration de la police. Pour le moment, personne ne sait exactement ce qui s'est passé.

– Ah, fit Hämäläinen.

– Ils demandent s'ils pourraient passer une interview avec toi, dit Olli Latvala.

– Une interview, répéta Hämäläinen.

Soudain, il ne put s'empêcher de rire.

– Moi, je ne fais que répéter ce que Lundberg m'a dit, expliqua Latvala.

– Pas de problème, Olli, dit Hämäläinen. Vraiment, ce n'est pas ta faute.

Il fit une petite pause puis se remit à rire tout doucement.

Rentrer à la maison, pensa-t-il. Faire un feu d'artifice. Un vrai. Illuminer le ciel noir. Irene sourit. Les koboldes ouvrent de grands yeux.

Il effaça le sourire de son visage et se sentit soudain animé d'une force passagère, fugitive, en disant :

– Je crains de ne pouvoir accepter. Pour cette année, j'en ai par-dessus la tête des interviews.

89

Kimmo Joentaa et Paavo Sundström passèrent la nuit à Helsinki. Dans le même hôtel. Il était deux heures du matin quand ils s'y présentèrent.

L'interrogatoire de Salme Salonen avait été repris et interrompu plusieurs fois. Elle avait répondu par un simple « oui » à la plupart des questions que Sundström et ensuite Westerberg lui avaient posées.

Kimmo Joentaa était resté debout derrière la vitre à regarder la femme, et plus elle acquiesçait, plus elle hochait la tête, moins il comprenait.

Salme Salonen avait parlé d'une image qu'elle voyait et qu'à la demande de Sundström elle n'avait pas pu décrire plus précisément.

– Ça ne sert à rien, avait-elle dit.

– Pourquoi ne me laissez-vous pas juge de ce qui sert à quelque chose ou pas ?

Elle avait hoché la tête et s'était tue.

Que tout s'apaise, avait pensé Joentaa, s'arrête.

Elle avait répété plusieurs fois : « Ça n'a servi à rien ».

Sundström n'avait pas insisté, sans doute parce qu'il ne croyait plus pouvoir obtenir d'éclaircissements à propos de cette phrase.

– Quand le troisième homme était au sol, je n'étais plus en colère, avait-elle dit.

Sundström avait acquiescé.

– Je ne sais plus du tout ce que c'est. La colère.

Sundström avait acquiescé.

Westerberg était rentré chez lui, Sundström et Joentaa avaient pris un taxi pour aller à l'hôtel.

A la réception, il y avait la femme qui avait connecté Joentaa avec le serveur, quelques jours plus tôt, quand il avait voulu visionner le DVD du talk-show dans la nuit. En leur donnant les clés, elle eut l'air de vouloir dire quelque chose. Ils avaient déjà fait demi-tour quand la femme se mit à parler.

– Excusez-moi. Pour l'autre jour. Je n'ai pas été très aimable.

Joentaa se retourna.

– Pas de problème, dit-il.

– Je vous ai vus à la télévision, dit-elle. Tous les deux. Mais je ne savais pas...

A la télévision, pensa Joentaa.

– Quand vous êtes parti en voiture avec cette femme. Elle est... coupable ?

Coupable, pensa Joentaa.

Ils prirent l'ascenseur, montèrent au quatrième étage et s'engagèrent dans un couloir rouge et orange.

Sundström écouta les messages de son portable.

– Nurmela, dit-il. Il nous félicite.

Il éteignit son portable et souhaita une bonne nuit à Kimmo.

Joentaa entra dans sa chambre. Il resta longtemps dans l'obscurité et pensa à l'image que Salme Salonen voyait et ne pouvait pas décrire.

Derrière la vitre, des fusées surgissaient dans le ciel de temps en temps. En explosant, elles brillaient de mille feux multicolores.

1er janvier

90

Aapeli Raantamo fut réveillé par des pas. Et par des bruits de tables ou de chaises qu'on poussait. Dehors, il faisait encore nuit. La pendule indiquait cinq heures.

Il avait passé la Saint-Sylvestre seul. S'était fait une soupe à la tomate et des pâtes à la crème, au curry et aux crevettes. Le moment venu, il avait regardé le feu d'artifice. Le couple qui avait emménagé récemment tout en haut avait fait une fête, il était debout dans le froid devant la maison, les jambes tremblantes, au milieu d'une troupe de jeunes gens, certains l'avaient embrassé en lui souhaitant une bonne année.

Il leur avait aussi souhaité une bonne année, avait regardé s'il voyait Salme, mais elle n'était pas là et il n'y avait pas de lumière dans son appartement. Il avait interrogé les deux jeunes du dernier étage qui regardaient le feu d'artifice étroitement enlacés. Eux non plus ne savaient pas où était Salme.

Mais maintenant, elle avait l'air d'être rentrée. Dans son appartement, on poussait des chaises, il entendait des pas et des voix. Il se redressa et se concentra sur les bruits. Des voix d'hommes, assourdies, mais audibles. Maintenant, des pas dans l'escalier. Plusieurs hommes.

Il se leva, enfila son manteau et ses pantoufles et ouvrit la porte. L'escalier était allumé, un homme le bouscula quand il sortit.

– Pardon, marmonna-t-il en dévalant l'escalier.

Aapeli Raantamo monta. La porte de l'appartement de Salme était ouverte. Il s'avança doucement.

Quand il s'approcha de la porte, un homme grand et carré d'épaules vint au-devant de lui et dit :

– Il n'y a rien à voir ici.

– Excusez-moi, dit Aapeli. Qui... qui êtes-vous donc ?

L'homme sembla vouloir l'envoyer promener mais il se ravisa et demanda :

– Vous habitez ici ?

– Oui. En dessous. Un étage au-dessous de... Salme.

L'homme hocha la tête.

– Je m'appelle Grönholm, de la police criminelle. Et quel est votre nom ?

– Aapeli... Aapeli Raantamo. Où... est donc Salme ? Il y a un problème ?

– Vous n'avez pas regardé la télévision ?

– Mais... pourquoi ?

– Peu importe. Je dois continuer. Je passerai plus tard...

– Si, dit Aapeli.

– Pardon ?

– Si, j'ai regardé la télévision. Hier soir.

– Alors vous avez bien dû reconnaître Mme Salonen.

– J'ai... j'ai regardé un vieux film. Avec Cary Grant, dit Aapeli.

– Oh, dit Grönholm.

– Qu'est-ce qui... se passe avec Salme ?

L'homme resta un moment silencieux.

– Je passerai chez vous après. Dormez un peu en attendant. D'accord ?

Aapeli hocha la tête et l'homme fit demi-tour et retourna dans l'appartement. L'appartement de Salme. Mais Salme n'était pas là.

Aapeli descendit lentement l'escalier. C'est grave, pensa-t-il. Quelque chose de grave. Quand il alluma le téléviseur, ses mains tremblaient. Le vidéotexte.

Le premier grand titre était : *Meurtrière sur le canapé de Hämäläinen*. Dessous, il lût : *Présumée coupable : Salme S. Arrêtée pendant le talk-show*. Une ligne en dessous, coloré en vert : *La chronologie des événements*. Dessous encore, le sport. Saut à ski. Un Finlandais avait remporté la qualification à Garmisch-Partenkirchen. Aapeli contempla les phrases. Il lut et relut, sans comprendre. Il sentait ses forces déserter son corps.

Il s'assit sur son lit sans quitter des yeux les phrases sur l'écran. Au-dessus, dans l'appartement de Salme, des pas d'hommes et des voix feutrées. Puis il finit par détourner les yeux de l'écran et regarda la carte appuyée contre le bougeoir sur la table. Les vœux de Noël de Salme.

Il se leva, alla jusqu'à la table, prit la carte et l'ouvrit. Ilmari et Veikko, à Stockholm. C'était sûrement Salme qui avait pris la photo. Ses mains se remirent à trembler, si fort cette fois que la carte lui tomba des mains.

Il s'assit sur la chaise et regarda la carte par terre pendant que dehors la nuit s'effaçait devant le jour naissant.

91

Une infirmière sympathique lui changea ses pansements, enroulant délicatement les bandes blanches de la main jusqu'au coude.

– Merci, dit-il.

– De rien, répondit-elle.

Dans la salle d'attente, les informations étaient passées sur un téléviseur vers lequel il avait dû lever les yeux presque à la verticale.

Sur la photo, Salme S. avait des cheveux roux et un drôle de costume. On avait précisé que la photo datait de quelques années. Le présentateur avait dit d'une voix neutre que, jusqu'à présent, on ne savait pas grand-chose des dessous de cette affaire. La conférence de presse des autorités chargées de l'enquête était prévue pour 14 heures et serait retransmise en direct.

– Dites-moi... commença Nuutti Vaasara.

– Oui ? demanda l'infirmière.
– On pourrait les serrer un peu moins parce qu'aujourd'hui... je vais sans doute devoir travailler.
– Travailler ! Un 1er janvier ! Je croyais qu'il n'y avait que des gens comme nous pour travailler aujourd'hui. Qu'est-ce que vous faites donc ?
– Je suis fabricant de mannequins.
– Oh, dit-elle. De marionnettes ?
– Si on veut.
– Ma petite fille adore le théâtre de marionnettes. Récemment, on en a vu un à la maison paroissiale. Tout ce qu'il y a de plus classique. Avec Guignol, le petit chaperon rouge et le loup.
Vaasara acquiesça.
– Il vous faut vraiment travailler ? Vous devriez y aller doucement.
– Je sais, mais je suis pressé par le temps.
Parce que Harri est mort, voulut-il ajouter mais il se retint.
– Voyons ça, dit-elle en commençant à desserrer le pansement de la paume de la main pour libérer les doigts. C'est mieux comme ça ? demanda-t-elle au bout de quelques minutes.
– Oui, merci, répondit-il. Il tendit les doigts pour serrer le poing. Oui, ça devrait aller.
Elle sourit.
– Prenez soin de vous. Et bonne chance, dit-elle, et il la remercia encore une fois avant de partir.
Quand il retraversa l'entrée, il vit sur l'écran une photo du médecin légiste et une de Harri. Il resta un moment immobile. Puis les photos disparurent et la caméra revint sur le présentateur. Suivit un paysage de palmiers avec des morts. Soigneusement alignés devant la carcasse d'un avion. Les cadavres étaient recouverts de couvertures brillantes mais quelques bras dépassaient.
Nuutti Vaasara détourna les yeux et rentra chez lui. La maison plate lui parut étrangère dans la neige profonde. Devant la porte, il y avait des journaux, des lettres et des prospectus en désordre. Il ouvrit la porte, passa la porte de séparation et suivit le long couloir à grandes enjambées jusqu'à l'atelier.

Contre le mur était adossé le clown qui avait troublé ce policier, Joentaa. Sans doute parce qu'il tenait un mort dans ses bras. Vaasara resta un instant indécis puis il prit le mannequin qui était dans les bras du clown et l'appuya contre le mur d'en face, dans un coin où on le voyait à peine.

Sur l'établi était allongée une femme d'âge moyen. Un cadavre de noyée. Le mannequin auquel Harri travaillait durant les jours qui avaient précédé sa mort. La commande était urgente car on devait tourner la scène du film dans quinze jours. La production avait appelé et Vaasara avait promis de livrer le mannequin dans les temps.

Il s'approcha de la table et resta encore un moment immobile. Il ressentait de l'aversion, du respect, une joie qu'il ne pouvait s'expliquer et une peur qu'il avait au ventre depuis longtemps.

Il ferma les yeux et inspira plusieurs fois profondément. Puis il se pencha sur la forme et s'attela, avec précaution et ténacité, à finir le dernier mannequin de Harri Mäkelä.

92

Vers midi, Kimmo Joentaa rentra à Turku pour soutenir Grönholm. Sundström resta à Helsinki et donna une conférence de presse avec Westerberg et un substitut du procureur général. Heinonen avait encore un jour de congé maladie.

En arrivant à la périphérie de la ville, Joentaa dépassa la direction du centre-ville et prit la direction du Klosterberg. Il connaissait l'orphelinat. Sanna le lui avait montré des années plus tôt quand, par un jour d'hiver comme celui-ci, ils étaient passés en se promenant devant le bâtiment jaune citron.

Il ne se souvenait que vaguement de la conversation, mais Sanna s'était demandé s'il était raisonnable d'avoir des enfants quand il y en avait tant qui n'avaient pas de parents. Il avait acquiescé et pris l'air intéressé parce qu'à l'époque il ne sentait pas concerné par la question, qu'il s'agisse d'un enfant de lui ou d'un autre.

Il monta la colline à pied, en regardant les enfants qui dévalaient la pente en traîneau. Quand il entra dans le hall d'accueil lumineux, une jeune femme s'enquit de ce qu'il voulait. Il se présenta et demanda à parler à la directrice ou au directeur de l'établissement.

– Pellervo Halonen, dit la femme. Suivez-moi, nous allons voir s'il est là.

Ils trouvèrent Pellervo Halonen dans une grande pièce où les enfants jouaient et feuilletaient des livres. La femme lui fit signe et Halonen s'empressa de venir vers lui. Il avait une poignée de main ferme et l'expression de son visage évoqua à Joentaa l'assurance imperturbable qu'affichait toujours Niemi, le patron de l'identité judiciaire.

– Bonjour, dit Pellervo Halonen en l'emmenant dans le couloir, hors de portée de voix des enfants. Ils étaient assis l'un en face de l'autre et l'assurance disparut du visage de Pellervo Halonen quand il dit :

– Je sais ce qui vous amène. Salme Salonen.

Joentaa hocha la tête.

– Je voudrais que ce ne soit pas vrai, dit Halonen.

Joentaa hocha la tête.

Ils restèrent un moment silencieux.

– Elle a parlé d'une fillette qui vit ici, dit enfin Joentaa. Qui a perdu ses parents... dans la catastrophe de la patinoire. Rauna.

– Oui, dit Halonen.

– Mme Salonen dit qu'elle voulait adopter Rauna.

– Oui, dit Halonen, mais elle n'a pas obtenu l'autorisation. Mme Salonen a été considérée comme trop... instable. Elle ne travaille plus depuis l'accident. J'avais l'impression que, pour Rauna, Mme Salonen comptait beaucoup, c'est pourquoi j'étais toujours très content qu'elle vienne la voir. Elles ont vécu ce drame ensemble.

– Je sais, dit Joentaa. Mme Salonen l'a... raconté.

Halonen hocha la tête.

– Rauna est-elle au courant des… événements ?

– Non, dit Halonen. Pour le moment, nous ne lui en parlons pas. Elle va demander où elle est, bien sûr. Mme Salonen venait ici au moins une fois par semaine.

Joentaa hocha la tête.

– J'espère que vous pourrez aider Rauna et que vous… trouverez l'explication qui convient.

– Oui, dit Halonen.

– Je ne souhaite pas parler avec elle, ça n'aurait guère de sens, dit Joentaa. Je voulais juste me faire une idée.

Halonen eut l'air soulagé.

– Je suis heureux que vous voyiez les choses ainsi. D'ailleurs, elle a justement de la visite. Là-bas, celle qui est en train de faire un puzzle, c'est Rauna.

Joentaa suivit son regard et vit la fillette qui, agenouillée sur une chaise, les coudes sur la table, cogitait sur son puzzle. A côté d'elle, il y avait un homme assez âgé, et Rauna riait quand l'homme disait quelque chose. Joentaa entendait les voix assourdies.

– C'est un voisin de Salme Salonen, dit Halonen. Aapeli Raantamo. J'ai longtemps parlé avec lui et j'ai beaucoup hésité, mais il voulait absolument voir Rauna. Et Rauna était contente de le voir. Ils ont fait une excursion ensemble il y a quelques jours, lui, Rauna et… Mme Salonen.

Joentaa hocha la tête et vit la fillette et le vieil homme qui avait l'air à la fois terriblement triste et terriblement heureux.

– Fini ! s'exclama Rauna, et Aapeli applaudit. Puis elle dit quelque chose qu'Aapeli n'eut pas l'air de comprendre et Rauna lui expliqua, d'une voix sonore et résolue :

– Les lions bien sûr, idiot. Les autres. Et c'est moi qui tiens le gouvernail du bateau, pas l'homme à la grande barbe.

Aapeli se mit à rire et, tout en disant cela, Rauna tenait entre ses mains une roue de gouvernail invisible mais impressionnante.

93

Le soir, assis dans une maison vide, Kimmo Joentaa regardait les enfants qui jouaient au hockey sur glace sur le lac. Sous une lune blafarde.

Joentaa se laissa prendre par le jeu. Par les cris des enfants, les coups sourds des cannes qui se heurtaient et il pensa vaguement que les goals avaient du boulot. On voyait à peine le palet.

Le jeu semblait ne jamais finir. Peu à peu, Joentaa se mit à compter les buts. Un match équilibré, mais comme il avait raté le début, il ignorait si une équipe avait déjà l'avantage.

Le jeu était sans cesse interrompu, il y avait des discussions et régulièrement, des joueurs allaient s'asseoir au bord du terrain, sur la glace, sans doute exclus pour deux ou trois minutes, et Joentaa se demanda où était l'arbitre qui prenait ces décisions et arrêtait le chronomètre. Il n'en voyait pas. Il y avait constamment des buts.

Enfin, quelques-uns se mirent à crier en se tombant dans les bras, les autres s'écroulèrent, épuisés. C'était la fin du match.

Quelques minutes plus tard, tous désertèrent le lac gelé et se saluèrent avant que chacun ne rentre chez lui, dans des directions différentes. Joentaa reconnut Roope, le garçon d'une des maisons voisines, et le goal, qui, curieusement, portait un casque de bicyclette, s'approcha de la vitre derrière laquelle il se trouvait. Il frappa à la porte de la terrasse et en ouvrant la porte, Joentaa pensa être victime d'une hallucination.

– Gagné, dit Larissa. Elle enleva ses patins, lança le casque sur le fauteuil et se passa la main dans les cheveux. 20-18. Super match.

– Mais... commença Joentaa.

– Je transpire comme une bête. Je vais me doucher.

– Oui, dit Joentaa.

Elle ôta son pull.

– Ça va, toi ? demanda-t-elle.

– Oui, répondit Joentaa.

– Bien. A tout de suite.

Elle enleva son pantalon, elle était presque arrivée à la salle de bains quand Joentaa dit :

– Quand même, dix-huit buts, ça fait beaucoup.

– Ce qui compte, c'est de gagner, rétorqua-t-elle sans se retourner.

– Je blaguais, dit-il. Attends une seconde.

– Qu'est-ce qu'il y a ? demanda-t-elle. Il faut que je me douche.

– Si tu m'avais dit que tu étais goal dans une équipe de hockey sur glace, j'aurais cru à tous les coups que c'était un mensonge, dit Joentaa.

Elle le regarda longuement.

Puis elle fit demi-tour et se dirigea vers la salle de bains.

Joentaa entendit le ruissellement de l'eau dans la douche.

Quand elle revint, il était allongé sur le canapé, nu comme un ver, il tendit les bras vers elle de manière démonstrative, avec un sourire sans doute un peu bête.

Elle eut l'air perplexe et fronça le front.

– Oh... Kimmo... fit-elle.

Devant son air décontenancé, il se mit à rire, pendant plusieurs minutes, avant de sentir enfin la joie l'envahir, et de fondre en larmes.

Ouvrage réalisé
par les Éditions Jacqueline Chambon
Achevé d'imprimer en juin 2010
par l'Imprimerie France Quercy à Mercuès
pour le compte des Editions Actes Sud
Le Méjan, place Nina-Berberova
13200 Arles

Dépôt légal
1re édition : septembre 2010
N° d'impression : 00955
Imprimé en France